新潮文庫

4 TEEN
【フォーティーン】

石田衣良著

新潮社版

7825

目次

4 TEEN
フォーティーン

びっくりプレゼント

始まりは春休みにはいったばかりの月曜日。ぼくは月島駅の階段をのぼったところにあるマクドナルドのまえにいた。もんじゃ焼きの店が百軒はある西仲通りのほうの出口だ。マウンテンバイクにのったまま片足をガードレールにかけたり、ときどきはその足もはずしてスタンディングスティルの練習をしたりしながら、クラスの友達を待っていた。

午後三時、ななめの光りに薄オレンジの縞《しま》になった横断歩道をわたって、最初に内藤潤がやってきた。ジュンはぼくと色違いのトレックのマウンテンバイクにのってる。真っ赤なフレームにリアサスつき。背が低いからサドルの位置はだいぶした。ちなみにぼくのは青だ。

「ダイはまだ」

ジュンは顔の半分くらいある黒いセルフレームのメガネを中指で押しあげていう。

ぼくは肩をすくめた。小野大輔《だいすけ》はもうひとりの待ちあわせ。ダイはだいたい時間に遅れる。

「それよりナオトは大丈夫なのかな」

今度はぼくがきいた。

「わかんないよ。うちにも連絡網で電話があっただけだから。でも終業式まで元気そうだったのに、いきなり入院するな……」

ぼくたちのうしろで自動ドアが開いた。

「よう、待った」

ダイの太った声がする。胸のまえにあだ名の元になったフレンチフライをもってマックをでてきた。ダイは大輔のダイじゃなくて、フレンチフライの大中小のダイ。揚げ油の臭《にお》い。むりやり締めたベルトの上下から、ポテトでいっぱいの中身がこぼれそうだった。

「いこう、時間だ」

ぼくが声をかけるとダイはジュースでものむように口のなかにポテトの残りを流しこんで、あさひ銀行のほうへママチャリをとりにいった。うしろから見てもほっぺたの肉が顔の横にでっぱっているのがわかる。

「つぎに入院するのはきっとダイだな」

ジュンがいう。ぼくはすこし笑った。三人がそろうと、ぼくたちはナオトの見舞いに出発した。


月島駅から隅田川の堤防まではほんの二百メートル。横になったW字型の自転車用登坂路《とうはんろ》を立ちこぎでのぼると佃《つくだ》大橋だ。先にのぼりきったぼくたちは橋のたもとでダイを待ってひと休みした。眠たそうな灰緑色の隅田川の両岸には、ガラスとコンクリートの高層ビルがならんでる。二十階建て、三十階建て、なかには五十階を越えるのもちらほら。自分が生まれ育った街なのに、この橋からのこぎりみたいなスカイラインを見るたびに、どこか外国にでもいったような気がする。ジュンも黙ったまま、いきなり開けた空を見あげていた。鈍い青。東京では広い空を見るのはめずらしいんだ。


肩で息をしてダイがきた。ママチャリにかまきりハンドルをつけるなんて、自転車のことがまるでわかってない。上半身をしっかり固定して腹筋をつかわないと、ペダルは踏み抜けないものなのに。

「あー、もうバテバテだよ。やっぱり昨日やりすぎちゃったかな」

ダイが汗をふいた。ジュンがきく。

「何回」

「七回かな」

ダイのこたえは誇らしげ。そのころうちのクラスの男子の話題は、オナニー一色だった。回数、時間、おかず、新たな技法にフレッシュなアイディアの数々。ぼくはダイの七回にショックを受けていた。一日の最高回数を友達にきかれると、三回なんてこたえていたけれど、実は二回が記録なのだ。そんな好調な日も実はかぞえるほどしかない。

「やっぱり、ダイって異常だな」

ジュンはあきれていう。東京湾から吹いてくるなまぬるい海風のなか、ぼくたちは対岸の陸を目指した。佃大橋は長さ三百メートル近く。自転車で歩行者用の通路をゆっくりすすんでいると、四車線の道路を自動車がうなりをあげて駆けていく。月島は明治になってできたばかりの埋立地で島って感じだけど、むこう岸は同じ中央区でも陸地で、しかも築地や銀座があって街っていう感じがする。銀座の裏町はぼくたちの子どものころからの遊び場だ。デパートの地下の試食コーナーや屋上庭園はすべて知っている。おしゃれな街だなんて思ったこともない。

橋をわたるとニチレイビルの角を曲がって、堤防沿いに聖路加《せいろか》ガーデンにむかった。

そこはできたばかりのぴかぴかの一角で、歩道の敷石も彫刻いり。わきには人工の小川が流れてる。全体がぜいたくな庭園みたいだ。広告代理店とホテルと超高級老人ホームがはいった二本の高層ビルのむかいにあるエンジ色のタイル張りが、ナオトが入院している聖路加国際病院。ぼくたちはタクシーがならんだ円形の車寄せの端に自転車をとめて、木のフレームに分厚いガラスがはまった自動ドアを抜け、病院にはいった。

なかはホテルのロビーみたい。床はチェッカー模様の大理石。天井は高く、角々で鉢植えのおおきな観葉植物がエアコンの風にそよいでる。午前の診察と精算がすんで、受付に人はまばら。この病院はかかりつけだから、ぼくたちは勝手知った通路を建物の中央にあるエレベーターにむかった。

三方にてすりのついたエレベーターのなか、ジュンはいう。

「お見舞い、なにもってきた」

「おれはコレ」

ダイは迷彩色のショルダーバッグから、薄い雑誌をとりだした。

「ほんとかどうかわかんないけど、街で声をかけてナンパした子を脱がせちゃうってのが売りなんだ」

ぼくたち三人はストリート系のエロ雑誌を中心に集まった。表紙ではかわいいんだかどうだかよくわからない裏原宿系の女の子がふたり、どこかの通りで腕を広げておなじみのポーズをとっている。おそろいの古着ジーンズに白いPコート姿。

「悪くないな。でもぼくはやっぱりこっちだ」

そういうとジュンはグレゴリーのデイパックから大判の雑誌を引っぱりだした。内容は見なくてもわかる。ジュンの外人巨乳マニアは有名だ。

「最近ではこのクリスタルって子が一番」

そういうとポストイットのついたページを開いた。金髪青い目に、頭蓋骨《ずがいこつ》よりおおきな胸がふたつ、乳輪は目玉焼きくらい、それに蜜蜂《みつばち》のウエスト。フィギュアみたいな凄《すご》いスタイルで、とても人間とは思えなかった。

「テツローは」

ダイがぼくにそういうと同時にエレベーターのGが弱くなった。七階までもうすぐ。よかった。ぼくがナオトの見舞いにもってきたのは、割と清純そうな子が脱いでいるだけの普通の写真集で、ふたりのみたいにおもしろくない。まあ、なかではセーラー服のプリーツスカートをまくってヘアがたくさん写ってるから、なにが清純なのかわからないけれど。

扉が開くとエロ雑誌をバッグにしまって、病室にむかった。エレベーターホールの横はソファがならんだ休息所で、ぽつぽつと元気のなさそうな人が離れ小島みたいに座っている。廊下の先はまたガラスの自動ドア。ビデオカメラが天井からさがっていて、ダイはＣＣＤに笑って手を振った。

両側に続く病室の番号を確かめていく。７１２号室。右側の一番奥からふたつ目がナオトの病室だった。この病院はプライバシー保護のためすべて個室になっている。スライドドアのまんなかにはまった丸いガラス窓を三人交代でのぞきこんだけれど、目隠しのカーテンしか見えなかった。ぼくは代表してドアをノックした。

「どうぞ」

なかからナオトのおかあさんの声がする。

「失礼しまーす」

ぼくたちが病室にはいっていくとおばさんがカーテンをあけてくれた。白いスチールパイプのベッドではナオトが縦縞のパジャマを着て笑っている。まんなか分けの頭はシルバーのメッシュがはいったみたいに半分白い。染めているんじゃなくて白髪《しらが》なんだ。それよりぼくはナオトの首筋のしわの多さにショックを受けていた。何十本もネックレスをしたように丸いしわがたれて重なり、開襟《かいきん》の首のつけ根まで続いている。

あわててぼくはナオトの目を見た。しわだらけでかさかさの顔のなか、目だけはぼくたちと同じ不安でいらいらした、それでも脳天気な中学生の目だった。

「だいじょうぶかよ、ナオト。今日はいいお見舞いもってきたからな」

ダイが目くばせをしながらいった。ナオトのおかあさんはそなえつけの冷蔵庫からウーロン茶のペットボトルをだして、紙コップに注いでくれる。

「今日はゆっくりしていってね。ナオトも退屈そうだから」

「はい、お言葉に甘えて」

三人のなかで一番成績がよくて、おばさんにも一番受けがいいジュンが明るくこたえる。ナオトはせかすようにいった。

「ねえ、せっかくみんなきたんだから、早くでてってよ」

けっこうきつい声だったけれど、はいはいとおばさんはうなずいて椅子《いす》の背にかけたトートバッグをとる。病室をでるとき、こちらを振りむいていった。

「エレベーター脇《わき》のソファにいるから、ジュンくんたち帰るとき、わたしに声をかけてくれる」

ベッドのまわりに集まったぼくたちがうなずくと、木製のスライドドアがゆっくりと閉まった。誰とも視線をあわせずに、しゃがれた声でナオトはいう。

「むりしてこなくてもよかったのに。どうせいつもの検査入院なんだから」

「でもクラスの連絡網では、ぶっ倒れて救急車で運ばれたって話だったよ」

ぼくがいうと、ダイが口をはさんだ。

「やりすぎて貧血になったんじゃないの。だいたいソーロー症なんて病気の名前があやしいじゃん」

「ダイはなんでもＨかくいものの話だな」

ジュンがあきれていった。ナオトのソーローは早漏じゃなくて早老だ。普通の人の何倍もの早さで年をとっていく病気。髪が白いのも、顔や手や首筋にしわがあるのもその病気のせい。だけど年をとるのは身体《からだ》だけ。心はぼくたちと同じ中学生のままのはずだ。ときどきうっすらと笑いながら、すごくやさしい目をしてぼくたちやクラスの女子なんかを見ることがあって、そんなときはナオトが何倍も長く生きているように感じたりしたけれど、そんなのは思いすごしに決まっている。

その証拠にナオトは今、ダイにわたされたストリートナンパ誌を開いて、焼けた肌にオレンジ色のきわどいブラとショーツをつけたサーフガールの写真を、くいいるように見つめている。ジュンがちゃかした。

「そんなに見たら穴があいちゃうよ」

「ごぶさただからな。病院なんてきゅうくつでやってらんないよ」

ナオトが三冊の雑誌にざっと目をとおすあいだ、ぼくたちは教室でやるようにバカ話を続けていた。誰かと誰かがつきあってるとか、となりのクラスの図書委員の異常にでかい胸の話とか。ナオトはエロ雑誌をマットのしたに押しこむという。

「ダイのが一番おかずになりそうだな。二番はテツロー、最後がジュン。悪いけど、ぼく外人ダメなの」

ニワトリのとさかみたいなしなびた手を振る。ジュンは不服そうだった。いつも自分の高尚な趣味は頭の悪いガキには理解されないんだと怒ってる。

「単にコギャルが好きなんだろ。まえにナオトに借りたビデオも宇宙企画のセーラー服ものだったじゃん。そういえば、ナオトもうすぐ誕生日だよな」

「うん、三月二十八日。つぎの土曜日。つまんないけど、今度はパーティできないよ。退院はむりだっていわれてる」

そういうとナオトは窓のしたのスズカケノキに目をやった。樹皮がはげてところどころ白くなった枝には、みずみずしい若葉に混じって落ちそこなった黄色い葉が残っている。みんな黙ってしまった。去年のナオトの誕生日はパジャマパーティだった。スカイライトタワーの三十四階にあるナオトの家。病気のせいもあってナオトの親は誕生日を盛大にやる。ぼくたち四人は徹夜でバカ騒ぎした。誰からともなく外にでかけようってことになって、パジャマのうえにダウンをはおり自転車でまっ暗な街を走ったのをおぼえている。清澄《きよすみ》通りを抜けて、黎明橋《れいめいばし》をわたり、晴海埠頭《はるみふとう》へ。春の明けがたの空気は冴《さ》えわたり、ペパーミントガムでもかんだみたいだった。黒い油を流した東京湾のうえ、曇り空がだんだんと明るい灰色になるのを、ぼくたちは自転車にのったままならんで見ていた。四人で見た初めての夜明け。あれから一年してナオトのしわはますます深くなり、ぼくたちはまだ中学生のサル芝居をやっている。

ダイがパンッと手をたたくといった。

「プレゼントはなにがいい。なんでもいってみろよ、このオッサンたちがなんとかするから」

ナオトは力なさそうにいう。

「別にないよ。ほしいものはすべてそろってる。うちの親にいえばすぐに買ってもらえるから」

「おばさんむけのしわ消しクリームや黒い髪のヅラや老人用おむつなんかもいいのか」

ジュンがいうとぼくたち四人は声をそろえて笑った。それはナオトの病気をネタにしたいつもの冗談だ。

「プレゼントの中身はわかんないほうがたのしいよ。なんでも歓迎だ。どうせほんとにほしいものは手にはいらない」

ベッドに目を伏せたままナオトはいった。ぼくたち三人の若さを三分の一ずつ集めて、プレゼントできればいいのに。そうすればぼくも中学生をすぐにやめられる。大人は大人に説教しない。だれかの生徒なんてもううんざりだ。

「わかったよ、じゃあ頭をひねってナオトに特別いいもんをプレゼントしてやる。覚悟して待ってな」

そういうとダイは胸をたたいた。テレビの水泳大会の巨乳ギャルみたいに胸が揺れる。

「ダイの胸のもみ放題券なんてやめてくれよな」

ナオトがいうとみんな爆笑した。ダイはふざけて、ベッドに横になったナオトのうえにダイブする。悲鳴をあげるスチールフレーム。足先の毛布がめくれあがり、ナオトの足がちらりとのぞいた。ベッドの足元に立っていたジュンの顔色が、それを見て変わる。驚愕《きょうがく》。ナオトはダイを押しのけると、すぐに毛布をかけ直した。ジュンの顔色はつぎの瞬間元にもどり、ナオトが見あげてもなにもなかった振りをしていた。

それから一時間ほどして、ぼくたちはナオトの個室をでた。廊下を抜けて、エレベーター脇の休息所へ。壁際《かべぎわ》のソファでナオトのおかあさんが、ぼんやりと正面を見て座っていた。きれいに化粧はしてるけど、すごく疲れているみたいだ。

「長居しちゃってすみません」

ジュンがいい子モードの声にもどっていう。腰の高さから天井まで延びる窓は夕日でいっぱい。ぼくたちは熱線反射ガラスをとおった熱のないオレンジの光りのなか、おばさんのむかい側のソファに座った。

「悪いわね。お休みのところ、病院まできてもらっちゃって」

無言でぼくたちは首を振る。

「今度のナオトの入院は長引きそうなの。塾なんかでいそがしいのはわかるけど、みんななるべく顔を見せてあげてもらえないかしら。あなたたちのお見舞いがある日は、朝からとてもうれしそうなの、あの子」

「そんなことなら、お安いご用です。じゃあ誕生日のパーティ、ぼくたちだけで秘密にナオトの病室でやっていいですか」

ジュンが速攻で交渉した。相変わらず回転が速い。ナオトのおかあさんは笑顔を見せた。ちょっとだけ生気がもどってくる。

「いいわよ。でも病院だから、あまり騒がないでね」

「ひとつきいてもいいですか」

思いきってぼくはいった。

「ナオトの病気のことなんですけど、早老症とはきいているんですけど、正式にはなんていう病名なんですか」

ナオトのおかあさんはため息をつく。夕日のなかで再びしぼむ花。

「ウェルナー症候群ていうの。くわしく知りたい」

「いいえ。いいです。ナオトくんの病室にもどってあげてください。ぼくたちに調子をあわせて疲れているかもしれないから」

ジュンが助け船をだしてくれた。それから挨拶《あいさつ》をしてナオトのおかあさんと別れ、ぼくたちはエレベーターにのりこんだ。動きだしたエレベーターのなかでジュンにきく。

「さっき病室でなにを見たの」

「ナオトのかかと」

ダイは不思議そうな顔をしている。かまわずぼくはいった。

「それでなぜあんなに驚いたんだ」

「割れていた」

「なんだって」

ダイが叫んだ。ぼくは返事もできなかった。

「ひび割れた軽石みたいに割れていたんだ……割れ目には血がにじんでいた」

やわらかな春の風に吹かれても、帰り道はみんな言葉すくなだった。

つぎの日の午後、三人で月島図書館に集まった。児童室の手まえにある検索用のコンピュータを操作したのはジュン。ぼくとダイは肩越しにモニタに浮かぶ緑の文字を見ていた。ここのコンピュータは旧式なんだ。

早老症、ウェルナー症候群の二語の検索で書名が三冊でてきた。

『老化機構の解明』『ヒト細胞老化にかかわる遺伝子』『遺伝子クローニング』

ぼくたちは医学のコーナーにいき、その三冊をもって、柱のまわりを円形にかこむソファにもどった。どれもほとんど借りだされていない新品みたいな本だ。ダイはすべてをジュンにわたすと、スポーツ新聞をとりにいった。ぼくも『サイクルワールド』のバックナンバーを読む。こういうのは勉強が得意なジュンにまかせたほうが、時間のむだにならなくていいんだ。ジュンは分厚い医学書三冊の目次を五分ほどで片づけると、巻末の索引をチェックしては本のあいだに付箋《ふせん》をはさんでいく。ぼくが雑誌を三冊読むのと、ジュンが調べを終えるのはほとんど同時だった。ジュンは数カ所ずつポストイットをつけた三冊をダイにわたす。ダイは黙ってコピー機にむかった。五分で帰ってくる。

「ひとり五十円な、十円玉はなしにしてくれよ」

そういうとコピーをジュンにわたす。本を書棚にもどして、ぼくたちは図書館をでた。ここではおおきな声でしゃべれない。裏手にある広い児童公園へむかう。四丁目のその公園のまんなかにはコンクリートの築山があり、ぼくたちはチェーンをつかんで一気に駆けのぼると、てっぺんで思いおもいの場所に腰をおろした。まだ三月の終わりだけど、早咲きのサクラが数本薄紅の雲になって目のしたに広がっている。とろりと眠そうな春の日ざし。あちこちにちらばる子どもたちの歓声。表面はひどくのどかだ。ジュンはコピー紙をとりだすと読み始める。

「早期老化症候群は現在約一六二種確認されている。例えばハッチソン・ギルフォード症候群、ウェルナー症候群、色素性乾皮症、毛細血管拡張性アタキシアなどなど。なかでも代表的な疾患がウェルナー症候群で、発症頻度は日本人の場合百万人あたり三〜四十五人。一九九六年にポジショナルクローニングの手法により原因遺伝子が単離同定されている。ダイ、ここまでわかるか」

おてあげとダイ。右に同じとぼく。ジュンはいう。

「ぼくもだ。特に最後のクローニングのところはぜんぜんわからない。でもナオトの病気が宝くじの一等くらい珍しくて、病気の原因がもう解明されているのはわかるな」

「それで、いったいどんな症状があるの」

「臨床像は早期白髪、早期禿頭《とくとう》、両側性白内障、皮膚の硬化・萎縮《いしゅく》、過角化症、骨粗鬆症《しょうしょう》、真性糖尿病、早期動脈硬化……まだききたいか」

目のまえが暗くなるような病名の連続に、ぼくはいった。

「もう十分だよ」

「そうだな。まだ細かな字で四行もあるんだ。とても読み切れない。それから、これ」

そういうとジュンはコピー紙を一枚ぼくにさしだす。受けとってのぞいてみた。グラフが一個、うえにはぶっきらぼうに「生存曲線」と題名がはいっていた。十代の後半からじりじりと落ち始めた曲線は、二十代も引き続き落ち続け、三十代には滝壺《たきつぼ》に落ちこむ滝のような勢いになる。また目のまえが暗くなった。ダイにパスする。ダイはじっとその黒い曲線に目を落としていた。顔をあげると、怒った表情になっている。叫ぶようにいった。

「わかった。病気なんかもうどうだっていい。今度のナオトの誕生日プレゼント、とびきりのやつをゲットしてやろうぜ」

ジュンがちょっと見直したって顔をしてダイを見る。

「そうだな、おれたちがへこんでいても始まらない」

ぼくたちはおたがいの顔を見あわせた。のどかな春の日ざしのなか、なぜか猛烈にファイトが湧いてくる。どんな病気か知らないが、簡単にナオトを連れていかせはしない。今度の誕生日だって、きっと最高の日にしてみせる。最後にぼくがいった。

「ところでみんな、お年玉いくら残ってる」

そこからはナオトの誕生日プレゼントの作戦会議になった。


天気のいい水曜日、ぼくたち三人は三越の裏に自転車をおき、銀座駅から地下鉄にのった。みんな妙に緊張していた。東京に住んでいると、今日は新宿、明日は原宿なんていうふうに遊んでいると思うかもしれないけど、実際の東京っ子は地元と近くの繁華街くらいしかいかない。電車にのれば十五分だけど、ぼくだって渋谷にいくのは半年ぶりだった。それにカツアゲやチーマーとかのすごい噂《うわさ》も学校で流れていたし。でもしかたない。ナオトの誕生日プレゼントを売っていそうなところは、渋谷くらいしか思いつかなかったんだから。作戦会議ではナオトのいうとおり、モノはだめだということになった。社会の時間で習ったけど、そうなればサービスしかない。最高のサービスってなんだろう、ジュンがいうとダイがこたえた。

「そりゃあ、ナオトの趣味のコギャルの出血大サービスだろ」

勢いこんでぼくはいった。

「案外それ、いいかもしんない。ぼくたちの予算はひとり一万五千円で、あわせれば四万五千円になる。ダイの雑誌には不景気で援助交際の相場もずいぶんさがってるって書いてあった」

「女子高生なんてどこにいけば売ってんだよ。それに病院まで出張サービスしてくれんのか」

ジュンがあきれていうと、ダイが自信満々でこたえた。

「渋谷にいけばいるんじゃないか。このまえテレビのニュースで見たよ」

それで渋谷にきたというわけ。ぼくたちは東急東横店のハチ公口をでて、駅前のものすごい数の人波を抜けた。かなりおどおどしていたと思う。それなのに正面から歩いてくる女の子には三人がかりで、結構しつこくチェックをいれる。正直にいうと、ぼくはみんな援助交際してるんじゃないかと思った。だってみんな格好が派手だ。まだちょっと寒いけど、身体《からだ》さえ見せときゃいいじゃんてファッションばかり。ダイなんてうはうはしてる。けれども、ぼくたちは怖くて誰にも声をかけられなかった。そのままセンター街をとおり抜けてスペイン坂をのぼり、公園通りをおりて西武デパートへ。すると渋谷の駅前にもどってしまう。一時間以上歩きまわって収穫なし。むりもない。ぼくたち三人のうち誰ひとり、街頭でナンパしたことなんてないし、援助だってやったことない。そんな勇気があればクラスのかわいい子にとっくに声をかけている。

「どうする」

ダイまで不安そうだった。ジュンがやけになっていう。

「しかたない。これからひとりずつ順番に、女の子に声をかけていこう」

「おれ最初はやだよ」

ダイが泣き言をいった。それでぼくたちは渋谷駅前のスクランブル交差点で青信号を待ちながら、ジャンケンをした。こんなに力がはいったジャンケンは久しぶり。最初はジュン、つぎにダイ、最後がぼくの番になった。ぼくは最初のふたりのうちどっちかが成功することを、スモッグで灰色の渋谷の空のうえにいる誰かに祈った。

それから三時間の失敗は思いだしたくもない。まっ赤になって声をかけても、まったくシカトされるか、足早に逃げられるだけ。一番手ごたえがあった女の子でさえ、バカじゃないのって顔でぼくたちを笑う。それでも笑顔を見せてもらえるだけでありがたかった。センター街の入口ではダークスーツに金髪のAVギャルのスカウトマンに、仕事場を荒らすなってすごまれたりした。これが自分のためだったら、とっくに投げていただろう。

足を棒のようにしてファッションビル109の地下二階にあるソニープラザにたどりついたときには、ぼくたちの難行苦行は四巡目にはいっていた。ダイはトイレにいくといって消えてしまった。ぼくとジュンは売りものになっていそうな女の子を探してきょろきょろする。109はセクシー系のミジェーンやラブボートなんかのブランドがはいっていて、その手の子が多く、みんなが売りものに見えるけど、外見にだまされちゃいけない。

「なあ、テツロー、つぎはおまえの番だろ。あのトイレの横の階段に座ってる子どうだ。制服着てるし、おまえの好きそうなちょい清純タイプじゃん。いってこいよ」

そういわれて機械的にぼくは歩きだした。こういうことをするにはなにも考えないのが一番いい。その女の子は階段の三段目につまらなそうにひとりで腰をおろし、制服のミニスカートのひざにアニエスの黒いリュックをのせていた。紺のラルフ・ローレンのベストに白い長袖《そで》シャツ。第二ボタンまで開けた首筋は、美白化粧品のモデルみたいな白。宇多田ヒカルにちょっと似た強い目をしていた。ぼくが近づいていくあいだに、リュックからタバコをだして火をつけた。彼女のまえに立つ。目線の高さはぼくの胸の位置だ。

「あの、こんにちは」

タバコの煙を吹きかけられた。メンソールのにおい。ナンパされるのは慣れているみたいだ。まったく動じないで、つぎの言葉を待っている。思いきっていった。

「実は女の子を探しているんです……援助をしてくれる……友達が病気でびっくりプレゼントをしようと思って……それで」

「ふーん、それで」

しどろもどろになる。彼女はまたタバコをひと息。煙を吐きながらいった。

「それで……あなたなんかどうかなと思って……援助をしそうって意味じゃなくて、あのとてもかわいいから……友達もよろこぶと思って」

「友達の名前は」

「ナオト。話だけでもきいてもらえませんか」

「別にいいけど、わたしは高いよ。その代わり……」

「その代わりなんですか」

また煙を吐いて彼女はいう。

「やることはちゃんとやる」

飛びあがって叫びたいくらいだった。離れて待っているジュンにOKサインを送る。ダイもトイレからでてきて合流した。ぼくたち三人がエレベーターにむかうと、彼女もすこし距離をおいてついてくる。109の最上階にある喫茶店にいった。テーブルはカップルでいっぱい。窓から暗くなった渋谷の街が見える。夕暮れの空を背に灯り始めたばかりのネオンサインはとてもきれいだ。居酒屋の看板さえ夜ほど派手じゃなく、淡く透明に光っていた。

話は五分ですんだ。彼女は無口で、ぼくたちの説明にもほとんど感情は見せなかった。すぐに手つけの五千円を受けとり、ゲームセンターの名刺プリンターでつくったピンクの名刺を一枚おいて帰っていく。リカリン。あとは携帯のナンバーだけ。

二杯目のアイスコーヒーをのみほしてダイはいう。

「だいじょうぶかな」

「わかんないよ。でもうとても、ほかの女の子に声をかける力が残ってない。だめならあきらめよう」

ぼくもジュンに大賛成だった。すごく疲れる一日だった。嫌なやつだけど、AVのスカウトを見直したくらい。女の子に声をかけるのは、それはたいへんな大仕事だ。

穏やかな春の日ざしで地面から湯気がたっているのがわかる土曜日。面会客が多いので病院もどこか華やいだ雰囲気だった。午後一時、ぼくたちはリュックだけさげて、ナオトの個室にはいっていった。ナオトのおかあさんは久しぶりに銀座のデパートで買いものでもするといって、いれ違いにでていく。夕方五時まではもどらないそうだ。ベッドのサイドテーブルには、ナオトの病気を考えて甘さを抑えたチョコレートのシフォンケーキが用意してある。ポットには砂糖抜きのロイヤルミルクティ。

「誕生日おめでとう」

ひと言祝ってから、黙ったまま三分でぼくたちはケーキを片づける。だらだらと無駄話を続けるうちに、すぐ一時二十分になった。ジュンがぼくに目くばせする。

「ちょっとプレゼントとってくるわ」

ぼくはそういうと個室をでた。エレベーターで一階におりて、病院の外へ。まぶしい光り。聖路加看護大と日刊スポーツ新聞社を右手に見ながら、築地駅の出口にむかった。いた。リカリン。このまえと同じ制服姿で階段の脇《わき》にもたれ、ヴァージニア・スリムをふかしている。

「待ちましたか」

そういうと一瞬だけふっくらした唇を曲げる。ヒットエンドランみたいな笑顔だ。

「その病室ってシャワーついてんの」

ぼくとならんで歩きだすと彼女はいう。

「ええ、ちゃんとシャワーとトイレ、それにビデオとテレビもついてます」

「ふーん」

「それでこれわたしして欲しいんです」

彼女に松屋の地下のフォションで買ったチョコレートをさしだす。彼女は無言で受けとった。緊張しながら歩くうちにすぐに病院に着いてしまう。入口のガラスの自動ドアにふたりの姿が映った。高校生の姉と中学生の弟に見えなくもない。でも彼女の目は嫌いな親戚《しんせき》の見舞いにでもきているように、ひどくつまらなそうだった。

エレベーターで七階へ。廊下を抜けて病室のまえまでやってくる。ぼくは丸い窓からなかをのぞいた。カーテンは閉まっている。ノックした。

「プレゼントが届いたよ」

スライドドアを勢いよく引いた。彼女には人さし指を口にあて黙っているようにサインを送る。そっとふたりで個室にはいると、カーテンのむこうでジュンの声がした。

「今度の誕生日プレゼントは、ほんとうのほんとに最高だ。ナオト、おまえと代わりたいよ」

ダイがカーテンを開けると、彼女はリボンのついたチョコの箱を胸のまえに両手で抱えた。ベッドには口を開けたバカ面《づら》のままのナオト。ぼくはいった。

「こちらはリカさん。ぼくたちからのプレゼントだ。やっぱりモノよりヒトだし、かわいいコギャルなら文句なしだろ」

彼女は急にとろけるような営業スマイルを見せる。

「よろしくね、ナオトくん」

ぼくも開いたままの口が閉まらなくなった。さすがプロ。ナオトの白髪頭を見ても驚きの表情さえ浮かべない。ジュンがいった。

「おれたちはこれからしばらくのあいだでてくるから、あとで話をきかせてくれ。それとリカさん、すんだら携帯に電話いれてください」

それからジュンは自分のリュックをベッドのしたに足で押しこんだ。いったいなにをしてるんだろう。ぼくたち三人は訳がわからないって表情のナオトを残して、さっさとカーテンを閉め、病室からでていった。ダイとジュンはなぜか廊下を早足で歩く。エレベーターにのりこむとダイはすぐにショルダーから携帯をだした。ちかちかと着信ライトが点滅している。

「病院内は携帯電話使用禁止だろ」

ダイはぼくを無視して通話ボタンを押した。ジュンがいう。

「いいから、いいから。ダイ、ちゃんときこえるか」

送話口を押えてダイは小声でいう。

「もう、バッチリ。なあ、テツロー、固いこというなよ。一万五千円もだしたんだから、声くらいきかせてもらってもいいだろ」

「じゃあ、さっきジュンは……」

「そう、ダイのを呼びだしたまま、おれの携帯をベッドのしたに押しこんできたのさ」

あきれた。でも、友達の初体験を盗みぎきするなんてすごくスリルがある。ぼくたち三人は病院の裏口をでると、午後の日ざしのなかがまんできずに走りだした。

そのまま駆け足でむかったのはセントルークスタワーだ。エスカレーターをのぼり、二階の吹き抜けになったホールを通り抜け、裏手の隅田川沿いのテラスにでる。河川敷の遊歩道（よくテレビドラマのロケをやってるところ）まで、まっすぐおりる長い階段の途中で、ぼくたちは携帯電話を中心に腰をおろした。川面はまうえから光りを受けて、水あめみたいにつるつるだ。ダイがいった。

「ちょい、待って」

そういうとショルダーバッグからなにかとりだす。CDウォークマンなんかにつけて音楽がきけるちいさなアンプつきのスピーカーだった。ダイは携帯のイヤホンジャックにスピーカーをつなぐとボリュームをいっぱいにあげた。

「……だったのか。みんながお金をだしあってリカさんを、その……プレゼントしてくれたんですか」

背景ノイズのなかからはっきりとナオトのしゃがれ声が響く。

「最初はヘンなガキって思ったけど、話をきいたらけっこういいとこあるじゃん。でも、わたしもいろいろ援助したけど、こんなヘンなの初めてだよ。シャワー借りるね」

水の落ちる音。ナオトは今どんな気もちでこの音をきいているんだろう、そんなふうに想像したら胸が苦しくなった。携帯に張りつかなくてもちゃんときこえるのに、ぼくのすぐとなりに顔を寄せて、ダイが叫ぶ。

「チクショー、いいなあ。おれも入院してーよ」

「バカ、黙ってろ」

ジュンがそういって、ぼくたちは五分間ただシャワーの音に耳を澄ませた。音楽みたいだ。永遠の半分がすぎて、ドアの開く音がする。ぼくは口にたまったつばをのんだ。リカさんの声がきこえる。

「見たい？」

微妙な間が空いて、ナオトがうなずいたようだった。

「誰にでもするわけじゃないよ。こんなに明るいところでなんて」

リカさんの声が恥ずかしそうに低くなる。おおきな布が落ちる音。

「きれいだ……すごくきれいです」

「めちゃくちゃ恥ずいよ。ベッドにはいってもいいかな」

「あの、でもそのまえにリカさんにいっておかなきゃいけないことがあるんです」

「なあに」

するとナオトは絞りだすようにいった。ほんとうの老人のような声だった。

「……ダメなんです……去年の終わりごろから、ぼくのはまるで役に立たなくて……あの、いろいろやってみたけどむだで……今だってリカさんの身体《からだ》に、こんなに感動してるのにぜんぜん立たないんだ」

終わりのほうはナオトの声が涙ぐんでいるのがわかった。そっとやさしくリカさんはいう。

「わかった。でもいっしょに、ベッドにはいってもいいかな」

ナオトの返事はなかった。布と布がこすれ、ベッドのフレームがきしむ音。

「もうちょっと、そばにきていいよ。私、胸はあまりでかくないけど、形はいいっていわれるんだ。手を貸して」

「ありがとう。みんなにはこのこと黙っていてください」

「わかってる」

「それから……」

「それから、なあに」

「リカさんの胸に頭をのせていいですか」

「いいよ」

　しばらくするとナオトの泣き声が静かにスピーカーから流れだした。ぼくたちは無言のまま、その声をきいていた。目のまえに広がるのは「春のうららの隅田川」。川沿いを散歩する人のやわらかな影を遊歩道に落とす午後の日ざし。対岸の高層ビルはすっきりと白く空にそびえている。ジュンが顔をあげてぼくを見た。ぼくがうなずくと視線はダイに移った。ダイもうなずき返す。ジュンの手が伸びて、携帯を切った。

　ぼくたちはそれから、なにもいわずに空と川を見ていた。


　どれくらいの時間がたったのかわからなくなったころ、ダイの携帯のベルが鳴った。ジュンがとる。はい、わかりました。

「すんだって。今、病室をでるところだって。テツロー、おまえ、リカさんに残りの分わたしてやってくれ。おれたちは先に病室にいってる」

「あーあ、おれナオトにどんな顔したらいいかわかんないよ」

　ダイはジーンズの尻《しり》をはたきながら立ちあがる。ジュンがいった。

「もし、ダイのせいでおれたちの盗聴がばれたら、三カ月シカトだかんな。やばくなったら、ともかくなんか口に押しこんでもぐもぐやってろよ」

　ぼくたちはのろのろと病院にもどった。ダイとジュンは二階のホールからつながる歩道橋をわたり直接病室へ、ぼくは植えこみのなかゆるやかにカーブする歩道を歩いて正面入口にむかった。病院まえの石畳の広場にはおおきなクスノキがぽつんと植わっていて、深い緑の影をつくっている。その影のしたにリカさんが立っていた。白いシャツはやはり第二ボタンまで開いてる。口から伸びるタバコの煙。いつものつまらなそうな表情だった。なんていえばいいかわからないまま、ぼくが近づいていくと、リカさんはいう。

「やっぱ、だてに頭白くなってるわけじゃないね。ナオトくんはすごかったよ。もうひりひりって感じ」

そういうとまたヒットエンドランみたいな笑顔を見せた。ぼくは顔をあげて、リカさんの目を見た。関心なさそうにそっぽをむいたままだった。

「ありがとうございました」

頭をさげてしまった。ほんとうにうれしかった。あわててリュックから封筒をだした。リカさんは指先で封筒をはさむと、半分に折って胸ポケットに押しこんだ。

「じゃあね。私のは飛ばしの携帯だから、三カ月でつかえなくなっちゃうけど、そのあいだになんかあったら電話して」

そういうとぴかぴかのコインローファーの先でタバコをもみ消して、通りに歩いていく。走ってきたタクシーを停めると、さっとひと動作でのりこんだ。銀座方向に延びるアスファルトの道路は逆光を浴びて、白っぽく光っていた。ぼくは光りのなかに消えるまでタクシーを見送ったけれど、リカさんは一度もこちらを振り返らなかったと思う。

そのあとの誕生日パーティをぼくたち三人は、なんとかうまくごまかした。ナオトも妙にはしゃいでいて、女の子のヘアは男のみたいに硬くないなんていう。いいなあというダイの声はぜんぜん演技ではなかった。ジュンは濡《ぬ》れてしまったシャワールームのファンをまわすのを忘れなかった。

午後五時、ナオトのおかあさんが帰ってくるころには、ぼくたちの様子もシャワールームもからりと乾いて元どおり。おばさんはいう。

「なにかいいことあったみたいね、ナオト」

ナオトもぼくたちも笑ってこたえなかった。

それからの三カ月、ぼくはおこづかいを貯《た》めてよほどリカさんに電話しようかと思った。ピンクの名刺はぼくがもったままだったから。でも、なぜか理由はわからないけれど、ぼくは電話しなかった。みんな中二になった。休みがちだけど、もちろんナオトもいっしょだ。エロ雑誌の巡回も続いている。ぼくももうちょっとマニアックなのをと思うけれど、いつも手が伸びるのは清純タイプの子がのってるおとなしい雑誌だ。ぼくは普通の女の子マニアなのかもしれない。

夏休みにはいり思いきって電話したときには、リカさんのいうとおり、あの番号は「現在使用されておりません」になっていた。八月の終わりのある日、ぼくはみんなにないしょでひとり渋谷まででかけた。１０９の地下二階、あのソニープラザの奥にいってみる。トイレのわきの階段のまえに立った。もちろんそこには誰もいなかった。ただの薄暗い非常階段があるだけ。青い蛍光灯のした、なぜか三段目だけがまぶしく感じられたのは、だからぼくのかん違いに決まっているんだ。

月の草

うちのクラスに三人目の不登校がでたのは、一学期が始まってひと月半ばかりたったころだった。見知らぬジャングルになじめるやつとなじめないやつ。新しい勢力図が確定するまでの一番やばい時期だ。もっとも最初のふたりは、クラス替えになるまえから学校にきていなかったから、顔を見たこともない幻のクラスメートだった。だから立原ルミナがほんとうは初めての登校拒否になる。そんなの日本中の中学に五十万人くらいいて、ぜんぜんめずらしくはないけれど。

ルミナについてぼくが思いだせるのは、目がおおきくてよく動いたこと。でもコンビニやファストフードのコマーシャルを想像してもらっては困る。加藤あいとか上原多香子みたいな美少女が、うちの月島中学に絶対いるはずがない。目だってきらきらしてる感じではなかった。広い野原のまんなかに放されたシマリスやプレーリードッグのように、天敵のイタチやフクロウが襲ってこないか始終警戒してキョロキョロしている動きだ。背は百五十センチくらいと小柄。制服の胸はけっこうでかかった気がするけど、よく覚えていない。だってぜんぜん冴《さ》えない女の子だったのだ。誰だってそうだと思うけど、クラスで七番目か八番目にかわいい子なんて正確に思いだせるはずがない。

五月なかばの火曜日、ぼくは授業を終えて月中の正門をでた。いつものようにジュンとダイとナオトといっしょだ。門はガウディが好きな建築家が設計したらしく、ボディビルダーの筋肉のようにうねうねと立体的に盛りあがる気もちの悪いデザイン。なめらかなコンクリートの表には生徒が思いおもいの絵を描いた陶器のプレートが埋めこまれている。花や動物やコンピュータゲームなんかのくだらない絵がたくさん。

ぼくの通学カバンには立原ルミナ宛《あて》の学級通信や宿題のプリントがはいっていた。うちの中学では週二回、不登校の生徒に同じクラスの犠牲者が配達することになっている。残念ながらぼくの住んでいるマンションのとなりに、ルミナのマンションが建っていた。

ぼくたちは清澄《きよすみ》通りをわたり、ぶらぶらとヤナギの木陰を西仲通りにむかった。昼間からもんじゃ焼きのにおいがする歩道で、ダイの太った声がする。

「しょうがないよな。テツローも立原も中忍《ちゅうにん》で、おまけに家が近いんだから。おれみたいな下忍《げにん》にはかかわりのねえことで」

誰がいいだしたのかわからないけど、『少年ジャンプ』で人気の忍者マンガのマネをして、うちのクラスでは生徒の家の経済的な状態を上中下の三段階に分けて呼んでいた。銀座という日本一の繁華街から近いせいか、月島の町はでたらめに貧富の差が激しい。中忍は隅田川沿いの中クラスのマンションや古い建て売りの一戸建てに住んでいるぼくやルミナやジュンなんかが分類される。親はだいたいホワイトカラーのサラリーマンだ。病気で白くなった髪をコロラド・ロッキーズの野球帽で隠したナオトがいった。

「その中忍、下忍とかいうのやめない？　なんかぼくの親がたまたま金もちだっただけで、差別されてる気がするよ」

ナオトがかぶっているキャップは正月に家族でいった北米スキー旅行の記念だった。ナオトは当然上忍《じょうにん》だ。大川端《おおかわばた》リバーシティにそびえるスカイライトタワーの三十四階にある家は、バブルのころ三億円以上したらしい。ジュンは上目づかいにぼくの視線を捕らえ、にやりと笑う。

「それこそ、しょうがないな。ナオトんとこのマンションの一カ月の管理費が、ダイの家族ひと冬分の生活費なんだから。忍びの道は厳しいのさ」

ナオトは肩をすくめる。

「でも、なにかに耐えてる忍者だってとこは、みんな同じだろ」

「まあな」

ジュンとダイの返事がそろった。

上忍でも下忍でも、中学生のきゅうくつさは変わらなかった。我らはいつまで主君の命に従わねばならぬのか。忍びに自由は贅沢《ぜいたく》なのか。ナオトはさっと手をあげて、西仲通りを右手に曲がっていく。アーケードにはさまれた狭い空の先に、超高層マンションが未来の天守閣みたいにそびえていた。ダイは無言でもんじゃ焼きともんじゃ焼きのあいだの路地に消えていく。軽自動車もはいれない湿った路地の奥には、地上げで半分無人になった長屋がまだいくつも残っている。もんじゃの煙にさらされて窓が油紙のように変色したダイの家も、そのうちのひとつだった。

この十年ばかり月島では巨大なもんじゃバブルが発生して、百軒を超える店がのれんをだしていた。あんなものをたべに東京中から人が集まるなんて、ぼくは不思議だ。小学校の帰りに五十円玉ひとつでたべられる子どものおやつだったのに。

ジュンとぼくはぶらぶらと隅田川の堤防めざし歩いていった。四方をコンクリートでかこまれた埋立地のせいか、月島の住人はみんな緑が好きだ。どの家のまえにもプランターや築地市場で不要になったスチロールボックスがおかれ、草花が植えられている。三色スミレやポピーやコスモスやユキノシタなんか。凝ったガーデニングじゃなく、そのへんでよく見かける草が、海に近いくせになぜか潮のかおりがぜんぜんしない風に吹かれて揺れているんだ。

「じゃあな、配達よろしく」

堤防沿いの通りにぶつかると、ジュンは三丁目の住宅街に別れていく。小柄な背中は十メートルも離れるといっそうちいさくなった。ぼくはため息をついて、マンションがならぶ通りをひとりで歩いていった。白いタイル張りの建物が見えてくる。

［リバーサイド月島］

立原ルミナの家だった。ゲートをはいる。一階は駐車場とエントランスだ。なぜか自分の家ではないマンションの敷地にはいると緊張してしまう。最初のスイングドアを抜けて、管理人のいる小窓の横をこちこちになりながらとおり、ポストを探した。オートロックの扉の右手に曲がり角があり、薄暗い蛍光灯のしたにずらりとステンレスのポストがならんでいた。デイパックからプリントをとりだし、部屋番号を確かめる。１１０４号室。最上階からひとつしたの階だ。立原家のポストはすぐに見つかった。ワープロ打ちのA4中性紙の束を半分に折ると、ひんやりとしたステンレスの口に押しこむ。

最初の配達のあと、なぜか走るようにうちにもどったのをぼくは覚えている。

二回目はその週の金曜放課後、よく晴れて暑いくらいの夕方だった。制服の上着を脱いで、白い半袖《そで》シャツだけになる。前回と同じように学校帰りにぼくはルミナのマンションに立ち寄った。二度目なのであっさりと目的のポストにむかった。立原とローマ字のプレートがはいったポストにプリントをいれようと手をあげる。身体《からだ》はすぐ引き返すつもりで半分ターンしていた。

おかしい。ステンレス製の内ぶたがまったく動かなくなっている。通信販売の分厚いカタログかなにかで、なかがつかえているのだろうか。指先でいくら押しても、ポストはまったく口をあけなかった。ぼくは途方に暮れてしまった。クラスの女の子宛の通信を、そのまま家にもち帰るのは嫌だ。しかたなく壁に埋めこまれたオートロックの操作盤に移動する。キーボードを押すと四桁の数字が赤いLEDで浮かんだ。チャイムの鳴る音がして、ぼくは息をのんで返事を待った。

「はい、立原です」

声が若かった。ルミナの母親なのだろうか。ぼくは優等生の声をつくった。

「ルミナさんのクラスメートで北川といいます。プリントを届けにきたんですけど、ポストがいっぱいみたいです。どうしたらいいですか」

操作盤のななめうえには黒いプラスチック製のちいさな窓があった。きっとテレビモニタのカメラが隠されているのだろう。ぼくは黒い窓から視線をそらしていた。声の調子が弾むように変わった。

「北川くんなんだ。今、あけるからもってきてくれない」

立原ルミナの声だった。同時にオートロックの自動扉が開く金属音がする。

「ルミナか。どうしてぼくがうえまで届けなくちゃいけないんだよ」

「いいじゃない、早く」

ぼくは閉まる直前のガラス扉に滑りこんだ。エレベーターホールはしんと静まって誰も住んでいないみたいだ。二つならんだエレベーターの片方にのり、十一階にあがる。外廊下から遠く灰色の帯のような東京湾が見えた。ルミナの家のインターホンを押す。

「………」

腹式呼吸の練習のような荒い息がスピーカーから返ってくる。心配になっていった。

「ルミナ、だいじょうぶ」

「うん、だいじょぶ。悪いけど、玄関のまえにおいて帰ってくれる。やっぱり顔はあわせられないや……ごめんなさい」

さっきまで明るい話し声だったのに、今度は消えいりそうにいう。ぼくはタイルの外壁にきれいにはまったスチールの扉にむかっていた。なかに人をとおす建具というより、外の世界を締めだす堅い栓に見えた。

「わかった」

ぼくは腰を折り、廊下のうえにプリントをおいた。

「北川くん、ごめんなさい……」

息を吐く音だけがしばらく続いた。

「……でも、また必ずきて……おねがい」

「わかった」

そういってインターホンから離れ、外廊下をもどった。エレベーターにのりこむとき、ルミナの部屋のほうを見たが、ダブルクリップで綴じられたプリントが十一階の風にめくれているだけだった。

三度目にリバーサイド月島にいったときは、郵便受けに着くまえにぼくの携帯電話が鳴りだした。iモードのサイトからダウンロードした着メロはａｉｋｏの新曲だ。カバンからとりだし、耳にあてる。

「北川くん……」

ルミナの声だった。びっくりしていった。

「なんでぼくの携帯知ってるの」

「内藤くんからきいた。そのままあがってきてくれる」

ぼくにはなにもいわなかったくせに、ジュンはルミナに携帯の番号を教えたようだ。反則だ。これでジュンに貸しがひとつできた。目のまえでガラスのダブルドアが割れる。エレベーターにのり、十一階でおりた。通話は続いている。

「そのままうちの玄関まできて。鍵《かぎ》はあいてるから」

外廊下を歩く足が途中でとまってしまった。

「えっ、部屋にあがるの」

「そう。このまえのことを話したら、うちの親がきちんとお礼をいうようにいってた」

すぐに１１０４号室のまえに着いてしまう。ぼくはドアのレバーに手をかけるのをためらっていた。

「いいよ、そんなこと。ルミナのお母さんなんかに会ったら、こっちが緊張する」

耳元で笑い声がきこえた。

「うちの親は共働きだから、昼間はいないよ。心配ないからあがって。北川くん用にケーキが用意してあるんだ」

ぼくは失礼しますといって玄関の扉をゆっくり開いた。どこもよく似たマンションの狭い玄関だった。石張りのたたきに足をいれると自動的に明かりがともる。ダウンライトが飛び石のように光りを落とす長い廊下の奥に格子《こうし》の扉が見えた。ルミナの姿はどこにもない。

「まっすぐにはいって」

ぼくはスニーカーを脱いで、びくびくしながら無人の廊下を抜けた。声は携帯からきこえるけれど、人の気配が感じられない。初めてあがる家なのに誰もいないのはおかしな気分だった。音を立てずに扉をあける。右手がオープンキッチンで、左手にはリビングダイニングが広がっていた。十五畳くらいあるだろうか。L字形に二人掛けと三人掛けの茶色い革のソファがおかれている。ソファセットの対角線に四十インチのプロジェクションテレビが見えた。手まえのテーブルのうえには、湯気の立つコーヒーとケーキの皿が用意されている。

携帯から流れる声は明るく弾んでいた。

「私の好物なんだ。トップスのチョコレートケーキ。私はいいから、北川くん、たべちゃっていいよ」

誰もいないリビングで立っているのは間抜けな感じだった。カバンを床において腰をおろした。

「ねえ、ルミナはどこにいるの」

ぼくはリビングの壁に一枚だけ見える扉を見つめた。白いクロス張りの壁と同じ白く塗られた扉で、ポストにあるのと同じ書体のローマ字でルミナと貼《は》ってある。返事がないので、ぼくはいった。

「リビングの白いドアの先がルミナの部屋なんだろう。もうここまできてるんだから、でてきたらいいじゃん」

ぼくが立ちあがり白い扉にむかうと、ルミナの慌《あわ》てた声がする。

「絶対だめ。鍵がかかってるから、きてもあけられないよ。いいから、北川くんはケーキたべてよ」

声には断固とした調子があった。しかたなくぼくはフォークをとり、ケーキの角を崩した。レースのカーテン越しに西日が部屋に深くさしこんでいる。隅田川のむかい側、築地と銀座のビルのあいだに賞味期限ぎりぎりの卵の黄身のようなしぼんだ夕日が浮かんでいた。ぼくはさっさとケーキをかたづけ、最後にコーヒーを一気のみした。つながったままの携帯にいう。

「ごちそうさま。おいしかった。プリントはテーブルにおいていく。お母さんによろしく」

「待ってよ。私、一日中誰とも話せないんだから、ちょっと話をしていってくれてもいいでしょう」

浮かせた腰を椅子《いす》にもどした。話すのはかまわない。でも、ルミナとぼくに共通の話題なんてあるのかな。ルミナはためらいがちにいう。

「クラスのみんなは元気」

「うん、たぶん」

とりあえずそうこたえたけれど、ぼくにはよくわからなかった。何人かの友達をのぞいたら、あとのクラスメートの大半は地下鉄でたまたま同じ車両にのりあわせた人と変わらない。ルミナとも似たようなものだ。ため息がきこえた。

「……私、ルミナって名前大嫌いなんだ。小学校のころ、駅ビルみたいっていってからかわれたし」

それならぼくも覚えていた。新宿ルミネ。

「そうだね。ちょっと変わってるかも」

「それに、私は自分も大嫌いだよ」

なにもいえなかった。しばらくしてしゃくりあげるような声がする。泣いているのだろうか。ぼくは黙って続きを待っていた。

「……私はかわいくないし、頭もよくないし、太ってるし……眠れないで朝になると、空気が白くなってることあるでしょう、日がさすとすぐに消えちゃうんだけど」

春の霞《かすみ》だ。ルミナだけでなくたいていの中学生と同じように、ぼくもたまに眠れなくなることがある。埋立地に杭《くい》のように刺さった夜明けのマンションを隠す白いスクリーンが目のまえに浮かんだ。

「あんなふうに誰にも気づかれずに、いつのまにか消えてしまいたい……それが今は私の夢だな」

朝日に溶けるように消えてしまいたいという夢。ルミナは途中の段階がなくて、いきなり話の芯《しん》から始める。はしゃいでいると思ったら、急に泣きだす。ぼくにはその思いきりのよさがすこしだけ不気味で、すこしだけまぶしかった。

「北川くんには、夢はあるの」

返事につまった。

「わからない。まだ見つかってないんだ。どこかにあるとは思うけど」

いつまでも見つからないんじゃないかと不安に思うことは黙っていた。

「ごめんね、急にへんなこといって」

「いいよ」

「またきてくれる」

「当番だから。また金曜日にくる」

「すこしでいいから、話し相手になってくれる」

「わかった」

携帯を切った。廊下を静かにもどり、玄関からでる。誰もいない通路を歩いていると、どこかの病院に見舞いにいった帰りのような気がした。

それから四回の配達はほぼ同じ調子だった。シュークリーム、果汁いりメロンパン、生のチーズケーキ。毎回ダイニングテーブルに用意してあるお菓子は違うけれど、さっさとかたづけたあとで、ルミナとぼくは別々の部屋に離れたまま、携帯ですこしだけおしゃべりした。ときには深刻になるけれど、たいていは学校やテレビやマンガなんかのつまらない話だ。

テーブルの様子が変わったのは、二週間後のことだった。その日ぼくは自由研究の資料（明治時代のなかごろから始まったこの町の築造工事の歴史）を調べるため月島図書館に寄っていた。ルミナの家に着いたのはいつもより一時間半くらい遅い時間だ。雨の日はすでに暗くなり始めていた。

「ごめん、今日は遅れた」

携帯で謝りながらリビングダイニングにはいると、テーブルのうえには二枚の皿とふたつの紙パックが並べられていた。片方の皿には生クリーム添えのガナッシュ、もう一方にはちいさな積み木のようなカロリーメイトが二本と錠剤が十粒ほどのっている。のみものはフルーツ牛乳だった。耳元でルミナの声がした。

「もう夜になるから、晩ごはんいっしょにたべようと思って。私ダイエット中だから暗くなったらなにもたべないんだ」

「ルミナの晩ごはんってカロリーメイトだけなの」

「そう、あとはビタミンをいくつかとカルシウムと鉄分」

ぼくがおおきな皿の余白を見ていると、静かにルミナの部屋の扉が開いた。戸口から生の声がきこえる。

「まだダイエット完了してないから、あまり見ないでね」

目をあげる。驚きを顔にださないようにするのが精一杯だった。丸々していたルミナの頬はこけ、目のまわりは眼球の丸さがはっきりとわかるほどかさかさにくぼんでいた。肩は薄くとがり、Tシャツはクリーニング屋の針金ハンガーに干したように力なくさがっている。布ベルトで絞ったジーンズのウエストは金属バットの先端くらいの太さだった。ぼくはあわてて目をそらせ、席についた。ルミナは素早い動きでテレビのリモコンをとり、スイッチをいれる。夕方のニュース画面から激安ショップの情報が流れだした。なんでも半額で売ってる店のレポートだ。きっとルミナの体重の割引率も同じくらいなのだろう。

テレビがついて、内心ぼくはほっとした。安全に目をむけるところができたからだ。ルミナはぼくの右どなりに座った。見ないようにしていたが、テーブルのうえにだされた腕は関節のところに歯車をしこんだスチールパイプのようだった。パイプの表面には青く血管が走っている。

「がちゃがちゃうるさいよね」

そういうとルミナはリモコンでテレビの音を消した。雨音が部屋にはいってくる。

ぼくたちはテレビにむかったまま食事をした。ルミナはビスケット一本に十五分くらいの時間をかける。先にたべ終えたぼくがいった。

「なんだかすごくスリムになったみたいだけど、いつからダイエットしてるの」

ルミナはうれしそうににっこりした。笑うと首の筋が引っ張られ、耳のつけ根まで線がはいった。

「学校にいかなくなったころかな。どうせいつかはまたクラスにもどるんだから、そのあいだになにかできることはないかなって思ったんだ」

「そうなんだ」

歯槽膿漏《しそうのうろう》に悩んでいる牛くらいの早さでカロリーメイトをかたづけると、ルミナはフルーツ牛乳で錠剤を一気にのんだ。ぼくを見て笑う。なんだか目玉と歯に笑いかけられたような気がした。ルミナの声はひどくハイだ。

「もうすこしで目標の二十五キロなんだ。それまではがんばるつもり。今日は北川くんの顔も見れたしよかった。知ってる？　初めて配達にきたとき、バルコニーから見ていたんだ。あのポストがあかなかったのは、私が瞬間接着剤でとめちゃったからだよ」

なんといったらいいのかわからなくなった。ぼくは自分でも意外なことをルミナにいう。

「今日は雨だからだめだけど、つぎは外に散歩にでもいかない」

ルミナの眉《まゆ》のあいだの縦じわは、中学生とは思えないほど深くなった。

「うーん、このごろずーっと外にでてないからな。でも、いっしょならいいか」

ニュースを最後まで見て、ぼくはとなりのマンションに帰った。

ルミナのことはジュンやダイやナオトには相談できなかった。もちろん、ルミナの親やうちの親、担任の先生なんかにも秘密だ。ジュンにきけば拒食症の症状などかんたんに教えてくれるだろうが、そうしたことを調べるのがなんだか嫌だった。ルミナはぼくに好意をもってくれているようだったし、ちょっと急激にやせているだけで別に病気ではないのだと思った。外に散歩にいこうといったのも、なにか効果をねらったわけではない。いつも室内ばかりでは、気づまりだから場所を変えようと思っただけだ。

つぎの火曜日、ぼくは先に家にもどり、制服を着替えた。スリムのジーンズ、紺の長袖《そで》Tシャツ、グレイの袖なしパーカ。ポケットに携帯とA4プリントを押しこんで、走ってリバーサイド月島にむかう。早い時間だったがダイニングテーブルには、ルミナの晩ごはんが用意してあった。白木の棒のような栄養ビスケット。ぼく用はシナモンロールだ。

ぼくたちは横にならんでテレビを見ながらたべた。ディスポーザーの勢いでロールをかたづけ、となりの皿を見る。白い大皿にはまだ手つかずの一本が残っていた。

「ねえ、味見していい」

うなずいたので、カロリーメイトをとりあげ半分に折ると、口のなかに放りこんだ。チーズ味の粉が口いっぱいに広がる。ルミナは残り半分をたべ錠剤をのむと立ちあがった。

「ちょっと着替えてくるから、待ってて」

リビングの白い扉に消える。ぼくはそれから五分間音のしないテレビを見ていた。コマーシャルが紙芝居のようにくるくると替わっていく。

「どうかな」

ルミナの声がする。開いた扉の一歩奥で手をうしろに組んで、重さのない女の子が立っていた。浅いブルーとグリーンのななめストライプのサマードレスは、風のない日の旗のように身体《からだ》にまとわりついている。ノースリーブで襟元がおおきく開いたデザインで、鎖骨のくぼみは水がたまりそうなくらい深かった。ルミナははにかんで笑い、顔をあげた。

「昨日目標の二十五キロを切ったんだ。このドレスがようやく着れるよ」

まだつきあっていたわけではないけれど、目をそらしてぼくはいった。

「なかなかいいんじゃない」

ぼくの顔が赤くなっているのにルミナは気がついただろうか。

隅田川沿いの道を歩いていると夕暮れの風がゆっくりとぼくたちを追い越していった。

「部屋からでるの一カ月ぶり。外は風が吹いてるんだね」

ルミナのサマードレスの裾《すそ》が揺れた。太もものあいだから、歩道の敷石がたっぷりと見える。ぼくはいった。

「どこいこうか」

月島は住宅ともんじゃ焼きばかりで、喫茶店なんてほとんどなかった。ファストフードは地下鉄の出入り口のまえにマックがひとつあるだけだ。あそこは誰か顔見知りがいそうで危険だった。困っているとルミナはいう。

「風もあったかいし、久しぶりだから、ぶらぶらするだけでいい」

それでぼくたちは自然に海のほうにむかって歩き始めた。清澄通りをすぎて、朝汐運河をわたる。月島から晴海《はるみ》にくだると町の密度が薄くなり、しだいに空が広くなる。橋のうえに日が沈んでから二十分後の東の空が広がっていた。青いガラス板に浮き立つように半月が貼《は》ってある。ルミナは高くなった橋のまんなかで立ちどまり、手すりに寄りかかった。細いのどを見せ、空をむいていった。

「私たちってあの月みたいなものかもしれないね。太陽と同じで光っているのは大人たち。私たちはおこぼれをもらっているだけ。自分ではなにもできないし、なにも決められない。草一本はえてない不毛の星。あーあ、せっかくふたりで歩いてるのに、こんなこといっちゃう。やっぱり私は私が嫌いだな」

ならんで手すりにもたれた。ぼくは顔をだしてしたの水面を見ていた。運河の水は暮れていく空を映して一段と暗く澱《よど》んでいる。

「ぼくも自分はあまり好きじゃない。でも、中学なんて永遠に続くわけじゃないよ。いつかはぼくもルミナも変わっていく。光りを反射してるだけだってあれくらいきれいなら、月も悪くないじゃない」

水面には月の白い影が揺れていた。顔をあげるとルミナが真剣な顔でぼくをにらんでいた。

「ねえ、北川くん、私を変えてくれる？」

意味がわからずにルミナを見つめていた。月島の町や橋や運河や空が、おおきな目のなかに吸いこまれていく。誰かの目が世界そのもののようにおおきくなる。そんな感じは生まれて初めてだった。ぼんやりしているとルミナは怒ったような表情でどんどん歩いていってしまう。ぼくはあわててくだり坂を追いかけていった。


ぼくたちは片側が四車線ある産業道路をわたった。その先はセメント会社の塀がどこまでも続き、いきどまりになっている。塀に張りつくように細長い公園があった。子どものころよく遊んだ春海橋《はるみばし》公園だ。街灯が数十メートルおきに立っているが、あたりはすっかり暗くなっていた。誰もいない公園にはいり、光りの輪をはずれたベンチに座った。ぼくは知らない人間がとなりにいるようで横を見ることができなかった。

ルミナのかすれた声がする。

「北川くん、私を壊して、変えちゃっていいよ」

ルミナがぼくの肩にもたれた。軽い頭だった。肩に全神経が集中してしまう。頭のにおいがしたけれど、誰かの汗をあんなふうに甘くかいだのも初めてだ。ぼくたちはそのまま固まってしまった。左腕をあげてバルサ材のような薄い肩を抱くまでに、もしかしたら三十分くらいかかったかもしれない。ぼくたちはどちらからともなくキスをした。女の子の唇のやわらかさを、ぼくは一生忘れないだろう。それに舌のなめらかさ。それがぼくの口のなかで動くのだ。初めてのキスはカロリーメイトのチーズ味がした。

ルミナは離れるといった。

「あっちいこう」

ペンキのはげたベンチから立ちあがると、裏手の芝生にはいっていく。草を踏む音がした。しばらく手いれされていないらしく、葉先は勢いよくとがっている。ルミナは芝のうえにあおむけに転がると目を閉じた。暗い緑を背景にサマードレスのストライプがきれいだった。裾がめくれて片方の太ももが半分のぞいている。ぼくは横に座り、ルミナの手をにぎった。

「ちょっと湿ってるけど、寝たほうが気もちいいよ」

ぼくはルミナの横に寝そべった。星のない明るい夜空が見える。こんなに地面に近いところでも風が吹いていた。風で葉先が揺れている。手を思いきりにぎりしめられて、ぼくはルミナのうえにのった。

ぼくたちはそれからあれこれと試してみたけれど、最後まではうまくいかなかった。ルミナがひどく痛がったし、ぼくが最初のキスだけで十分満足していたからかもしれない。枯れ草と土ぼこりを払って立ちあがったのはしばらくしてからだ。夜空はすっかり濃紺になっている。手をつないだまま公園をでるとルミナがいった。

「なんだか私、すごくお腹空《なかす》いちゃった」

「ぼくものどがからからだ」

晴海から月島にもどった。朝汐橋をわたる途中で今度は立ちどまらなかった。暗い道の先にコンビニが灯台のようにまぶしく浮かんでいる。

「寄ってく?」

ぼくがそういうと、ルミナは笑ってうなずき、ひとりで走りだした。なにがおもしろいのかわからなかったけれど、ぼくも笑いながらあとを追った。店の扉をあけたのはぼくだったが、ぼくを突き飛ばしたルミナのほうが先に店にはいった。

店内はひどく明るかった。なかでも光り輝いていたのは食料品コーナーだ。ルミナは魅せられたように冷蔵ケースを見つめると、レジの横からかごをもってきて目につくものを片端《かたつぱし》から投げこんでいった。シュークリーム、マデラケーキ、カスタードとチョコレートのプリン、ジャムバターパンにクロワッサンサンド。

おおきなポリ袋をふたつさげて、リバーサイド月島に帰った。十一階の外廊下で袋をわたす。ルミナは困ったようにいった。

「どうしたのかな、私。ぜんぜん食欲なかったのに、さっきはコンビニ中買い占めちゃおうかって思った。今もお腹が空いてめまいがしそう」

「いいんじゃない。今日はうれしかった。そろそろ帰らなきゃ」

「うん、また金曜日ね」

ルミナは誰もいない部屋にもどっていく。ぼくはドアがゆっくりと閉まるのを最後まで見送った。外廊下をエレベーターにむかう途中、明るいビルのあいだに黒い東京湾が落ちていた。風に潮のかおりがしなくとも、コンクリートの壁があいだにそびえていても、ぼくたちが誰かを愛することを習うのはきっと海の近くなんだと思った。

正直にいうけど、その夜はルミナのことを思いだしながら、ひとりで二回してしまった。カッコいいことをいっても、ぼくはぜんぜんいけてない。

ルミナへの配達はさらにひと月続いた。あまりにもあの夜が急だったせいか、ぼくたちはしばらくおたがいの身体にふれることはなかった。となりのクラスの誰かがCまでいったなんて噂《うわさ》をきいたけれど、ルミナもぼくもまだすこし早すぎると感じていたのかもしれない。

中学の帰り道、プリントをもってリバーサイド月島に寄る。今度テーブルに用意してあるのは、ぼくの分とぼくの分の三倍はあるお菓子の山だ。スポンジケーキ、カステラ、ラズベリージャムがたっぷりかかったクリームパイ。ルミナは栄養ビスケットとビタミン剤ではなく、今度は甘くてやわらかなものにはまっているという。

ルミナがクラスに復活したのは、一学期も終わるころだった。ひとりでは怖くていけないというルミナのために、その日ぼくは隅田川沿いの遊歩道で待ちあわせした。七月の空を映して普段は鉛色の水面もすこしだけ明るくなっていた。映画で観《み》たマンハッタンのような対岸のスカイラインを眺めているとルミナの声がした。

「北川くん、待った？」

堤防にななめに切られた階段を制服姿のルミナがゆっくりとおりてくる。半袖の夏服はボタンとボタンのあいだがひし形に口を開け、したのTシャツがのぞいていた。スカートの腰はむりやりしめたようで、ベルトラインの上下でゆき場をなくした中身があふれそうになっていた。もう太ものあいだから、むこうの景色が見えることはない。

ルミナの体重はすっかり回復していた。回復しすぎていたといったほうがいいかもしれない。あの夜の二倍以上になっていたのだから。デニス・ロッドマンなみの強烈なリバウンド。

　ぼくはやせていたころのルミナになにもいわなかったように、太ったルミナにもなにもいわなかった。もともと身長は百五十センチとミクロ系だったから、五十キロを超えるとかなりの豊かさだった。ルミナはカバンをもった手をうしろで組んで、自分のつま先を見ている。

「だいじょうぶかな？　私、クラスでヘンなこといわれないかな」

　ぼくは黙ってうなずき歩きだした。初めていっしょに学校にいくことで、ぼくも緊張していたのかもしれない。言葉がうまくでてこなかった。ぼくはルミナの二メートルほど先にたって、朝の町をすすんだ。

　西仲通りの角ではいつものメンバーが待っていた。普段は遅れることが多いダイも顔をそろえている。数十メートルしか離れていない自分の家から待ちあわせ場所にくるのが重労働だったのか、首筋からさげたタオルで額の汗をぬぐっている。ジュンはうしろを歩いているルミナに気づくと、皮肉な視線でぼくを見る。先手をとっていった。

「立原が今日からクラスにもどってくるって」

ジュンがにやりと笑っていった。

「なんだ。立原か。おれ、なんでダイがスカートはいてんのかなって思った」

ぼくの背後でルミナがちいさくなる気配がする。ナオトがその場を救ってくれた。

「よせよ。久しぶりの学校なんだから。さあ、いこう」

それでぼくたちは月島中学にむかってのろのろと歩き始めた。ジュンとダイとナオトの会話は弾んでいたけれど、ぼくはうしろをついてくるルミナが気になって口数がすくなくなっていた。ときどき振り返るとルミナは通学カバンを胸に抱き、うつむいてついてくる。短い通学路はじきに終わりになるだろう。通りを歩く生徒の数がどんどん増えていく。学校に近づくたびにぼくの心臓がバクバクと恐怖を刻んだ。

（いわなくちゃ、ダメだ……いわなくちゃ）

ぼくはまだ誰にもルミナとのことを話していなかった。パン屋の角を曲がると、まぶしい空のした偽《にせ》ガウディの正門が見えた。ぼくは立ちどまり、思いきって声をあげた。足が震えていたかもしれない。

「みんなに話があるんだ」

ぼくの声の真剣な調子に驚いて、三人が振りむいた。ルミナが横にならぶのを待ってぼくは続けた。

「立原さんとぼくはつきあってるんだ」

「マジかよ」

ジュンはとっさに返事をしたけれど、ダイはぼんやり口を開け、ナオトは恥ずかしそうにそっぽをむいた。立ちどまったぼくたちの横を月中の制服を着た生徒が無関心にとおりすぎていく。ショックから立ち直ったダイがいった。

「いつからだよ、このオッサンにいってみな」

プリントをもっていくうちに話をするようになり、いつしかつきあうようになったことを正直に打ち明けた。ぼくの顔はまっ赤だったけれど、ルミナはもうだいじょうぶなようだった。平然とぼくのとなりで立っている。話のあいだときおり笑顔を見せたりした。ジュンが最後にいった。

「わかった。それなら立原もおれたちといっしょに教室にはいろう」

それでぼくたちはなにごともなく授業が始まる直前の教室に滑りこんだ。ルミナはもううしろを離れてついてくることはなかった。

事件が起こったのは昼休みだった。給食が終わったあとで担任が職員室に帰ると、ようやく教室の雰囲気はゆるんでアットホームになる。午前中の授業ではルミナにおかしなところはなかった。他の生徒たちも久しぶりにクラスに顔をだしたルミナにあまりふれないようにしていたと思う。ただ無関心なだけかもしれないけれど。

外はいい天気でサッカーのミニゲームをするために男子の半分が飛びだしていくと、教室は急に静かになった。ぼくたちはうしろのほうにあるジュンの席に集まってバカ話をしていた。中学生ライフにはバカなことがたくさんある。ときどきひとりでぽつんと壁際《かべぎわ》に座るルミナのほうに視線を送った。そのたびにダイが肉の厚い手で肩口をたたく。痛くはないがちょっとうるさかった。

「やめろ。しつこいよ、ダイ」

そういってダイの背中に平手でお返しした。手のひらの跡が赤くつくくらいの強さ。ひととおりふざけてルミナを見ると、なんだか様子がおかしかった。丸くなった背中が震えている。そのときルミナがさっとこちらを振りむいた。短い髪が傘のように一瞬開き、乱れた前髪を貫いて助けを求める視線で必死にぼくを見つめてくる。

それからルミナは悲しそうに首を横に振った。角度にしたらほんの数度。きっとぼく以外の誰も気づかなかっただろう。ルミナはあきらめて正面をむくと、カバンのなかに右手をいれた。再びあらわれた手にはジャンボサイズのシュークリームの袋。もちろん月中では菓子類の教室もちこみは禁止だ。ルミナは破裂する勢いで袋をやぶくと、口のなかにシュークリームを押しこんだ。大人のにぎりこぶしほどあるシューを三口でかたづけてしまう。ひとつめをたべ終えると、また手はカバンへ。ふたつ、みっつと魔法のポケットのように黒い通学カバンからジャンボシュークリームがあらわれた。しだいにあたりのおしゃべりが静かになり、教室の視線は生クリームをむさぼるルミナに集まっていった。

見る間に机のうえには六枚の空き袋が山になり、教室にはクリームの甘いにおいが残された。ルミナはようやく満足して、周囲を見まわすゆとりができたようだった。おずおずと顔をあげたルミナを待っていたのは、冷凍庫で凍らせた針のようなクラスメートの視線だった。教室を一周して最後にルミナの目はぼくでとまった。口の端にクリームの跡を残して泣きそうな顔でほほえみかける。ぼくもルミナと同じ気もちだった。できればその場から消えてなくなってしまいたい。

(やっぱり私は私が嫌いだよ)

黙ったままのルミナから声がきこえた気がする。それからルミナはその昼休み二度目の致命的な失敗を犯してしまった。ごぼごぼと古い下水管を汚水がくだる音が床を這《は》ってくる。ルミナはきょとんと不思議そうな顔をして、つぎの瞬間丸く口を開いた。電動ポンプで吸いあげたような勢いで六個分のジャンボシュークリームがぼくが初めてキスした口からあふれだした。机で山になった透明なポリ袋は、生クリームの重さでぺしゃんこになった。男子は息をのみ、女生徒の何人かは悲鳴をあげて、その場から飛びさがった。ぼくはしびれたように固まってしまった。

静止画像になった教室で最初に動いたのはダイだった。首のタオルを手にまっすぐルミナの机にむかった。

「立原、だいじょうぶか？　おれもたまにくいすぎると、胃の調子がおかしくなることがあるよ」

そういいながらルミナの口を乱暴にぬぐってやる。ルミナはされるがまま、放心状態でぼくを見ていた。目が赤くなっている。涙が落ちるのは間もなくだろう。ナオトはジャージの上着をもって机に駆け寄ると、生クリームとシューの切れ端が混ざる白い山にかぶせ、さっと覆《おお》ってしまう。机のうえをぬぐうように器用に丸めこむといった。

「燃えるゴミだよね、これって」

両袖《そで》をしばって固まりにしたジャージをもって、ナオトは教室のうしろの出入口から消えた。ジュンがぼくの肩に手をおく。

「先生には連絡しておく。彼女をうちまで送ってやれよ」

ぼくはジュンを振りむいた。ジュンはわざとらしく肩をすくめてうなずく。最近流《は》行《や》ってるどこかのＤＪのマネだった。

「ありがとう」

「別に。それより彼女にいってくれ。明日の朝、また西仲通りで待ってるって。いっしょに学校にいこうってな」

ジュンを見た。ジュンはわざと校庭のほうをむいている。ぼくは言葉にならないほどうれしかった。ジュンの台詞《せりふ》とダイとナオトの行動が、臆病《おくびょう》なぼくに勇気を与えてくれた。もう迷うことはなかった。ぼくは立ちあがりルミナのところにいった。カバンをもち、いっしょに教室をでる。帰り道ルミナは泣きやまなかった。ぼくがジュンの言葉を伝えたのは、部屋にもどりルミナがシャワーを浴びて、新しい服で横になったあとだ。

ルミナはとっくに泣きやんでいたけれど、その言葉をきいてまたすこしだけ泣いた。だから、ぼくは五時間目に大幅に遅刻してしまったが、そんなのはちいさなことだ。

翌日ぼくたちは待ちあわせをして学校にいった。もちろんルミナもいっしょだ。ルミナはなんとか学校に通えるようになったけれど、今でも体重は小型タンカーがとおりすぎたあとの川面のように激しく波をうっている。でもいいんだ。やせているときのルミナと太っているときのルミナは別人のような抱き心地で、ふたりの女の子とつきあっているみたいだし、ぼくは四十一プラスマイナス十六キロのルミナが好きなんだから。

飛ぶ少年

理科実験室へいこうとして、学校の階段をおりていた。胸に抱えているのは発表でつかうOHPシートの束だ。ちょっとまえまで連続ドラマの主題歌だったアラシの曲を、ぼくはちいさく口のなかでうたっていた。すごくリズムがよくて、自然に上履きの足先が調子をとってしまう。

それはあけ放した窓からうちの中学の階段に流れこむ五月の風が気もちよかったせいかもしれない。潮の香りがしない東京の海風だ。別になにもたのしいことはないけれど、一瞬だけ最高の気分になるときがある。靴下の色とデザインまで校則で縛られた中学生だって、それは変わらなかった。

誰もいないと思って歌をすこしおおきくしたら、いきなりうしろから声が飛んできた。

「それ『木更津キャッツアイ』のテーマだよね、北川くんもあれ観《み》てたんだ」

あわてて歌をやめ、振りむいて階段のうえを見あげた。木製の手すりからうちのクラスの問題児、関本譲《ゆずる》が顔をだしている。校則違反のパーマをかけたウルフカット。いつも頭髪検査のときは天然パーマだといいはっているけど、うちのやる気のない担任以外、クラスメートの誰ひとりそんないいわけを信じてはいなかった。ユズルは顔をひっこめると、階段をひとつ飛ばしに駆けてくる。やけになれなれしくぼくの肩をたたいた。

「ヒップホップが好きなんだ。ほかにはどんなのが好き」

いくつかグループの名前が浮かんだけれど、口からでたのはぜんぜん別な言葉だった。

「とくに好きってわけじゃない。ただこの曲だけ耳から離れなくて」

ユズルはぼくの冷たい返事も気にしていないようだった。無邪気そうな笑顔を見せていう。

「じゃあ、来週の水曜日に期待しててよ。昼休みの放送時間は、ぼくがプログラムを組むから。今、最高のラップミュージックを選んでるところなんだ」

新しいクラスが始まって最初の選挙のとき、放送委員にまっ先に手をあげたのはユズルだった。理由は将来芸能人になりたいから！　それで放送のことをよく知りたいのだという。みんなはあきれてきいていたけれど、別に反対する理由もないので、不人気な放送委員は投票なしでユズルに決まった。

調子はずれの放送委員はテレビにでてくるコメディアンみたいに異様なハイテンションでアラシの曲をうたいだした（しかも振りつき）。カンベンしてほしかったが、ぼくには気もちよさそうにうたっている誰かの歌をとめるなんて大胆なことはできない。すこしずつ階段をおりる速度を遅くして、ユズルとステップ数段分の差をつける。ほかのクラスの生徒が見ても、友人だと思われないようにするためだ。

放送委員は振りむくといった。

「この歌ってラップとメロディに分かれてるじゃない。今度のホームルームのときに、いっしょに組んでみんなのまえでやらない」

のけぞりそうになったけれど、つくり笑いで首を振った。

「いいや、やめとく。歌には自信がないし、みんなのまえでうたうような勇気ないよ」

ユズルは残念そうだった。

「そうか。一度やっちゃえば、お客がいてもだいじょうぶなんだけどな」

ぼくは周囲に誰もいないのを確認してから、毛先の跳ねた後頭部にむかってきいてみた。

「あのさ、ユズルが芸能人になりたいっていうのはほんとうなの」

ぼくのほうを見あげた放送委員の顔はよろこびにぱっと輝いた。舌を垂らしてご主人様を見あげる子犬みたいだ。

「うん。月島みたいな埋め立て地にずっといるのは嫌だ。ぼくはいつか東京の中心にいって、日本中の人を笑わせたり、感動させたりしたい」

ぼくは日本中の人にむかってなにかをしたいなんて考えたこともなかった。それはたいていの中学生だって同じだろう。調子にのりすぎているとはいえ、ユズルの大風《ぶ》呂《ろ》敷《しき》にはどこか風変わりな魅力があった。

「東京の中心って、いったいどこにあるの」

ユズルは階段の途中で立ちどまり、自信満々でこたえた。

「お台場、赤坂、麹町《こうじまち》……」

ぼくにはユズルがなにをいっているのかよくわからなかった。ユズルはラップのように調子をつけて続ける。

「……芝公園、渋谷、六本木」

鈍いぼくにもようやくわかった。

「それ全部テレビ局のあるところじゃないか」

ユズルはにんまりと笑っていう。

「そうだよ。東京の中心は、テレビ局にあるんだ。だって日本中の人間の視線が集まるところが中心に決まってる。日本の中心はテレビカメラのまえにあるのさ」

そうかなと口のなかでいって、ぼくは黙りこんでしまった。ユズルはまた調子はずれのラップにもどる。理科実験室に着くと、ぼくたちはそれぞれの班に別れた。ユズルがあっさりと離れていったので、ぼくは内心ほっとした。

新しいクラスが始まって一カ月、まだユズルには友人らしい友人がいないようだった。女子にはけっこう人気があるようだけど、男子の全員とは冷ややかな距離がある。うたって踊れて、芝居も上手なコメディアンになりたいという目立ちたがり屋を煙たがるみんなの気もちは、ぼくにもよくわかった。

だって、そんなキャラなんて暑苦しいだけだもんね。

水曜日の四時間目が終わると、ユズルはぼくにウインクして意気揚々と教室をでていった。給食当番のダイが驚きの声をあげた。

「なんだよ、テツロー。あいつの友達だったのか」

ぼくはあわてて首を横に振った。百万回のＮＯ。

「このまえ理科の時間にちょっと話しただけだ」

ジュンがメガネの奥から冷たい目でぼくを見た。

「それでやつはなんていってた」

ぼくはしぶしぶいった。

「今日の校内放送はラップ特集だって。最高の曲を選ぶから、たのしみにしてほしいって」

なんだか友人でもないユズルをかばうような口調になってしまった。教室に四十近い白いプラスチックトレイがならんで、給食が始まった。メニューはカルボナーラのスパゲティに、チコリとルッコラのサラダ、地《じ》鶏《どり》の胸肉の香草焼き。最近の給食はそのへんのカフェなんかより、ずっと本格的なイタリアンをだす。

半分ほどたべ終えたところで、黒板のうえにつられたスピーカーからヴィヴァルディの『四季』が流れだした。誰でも知っている春のアレグロが、校内放送開始のジングルなのだ。

「ハーイ、月中のみんな、うまい給食たべてるかい？ 今日の放送はセキモト〝Ｂボーイ〟ユズルがお送りするＪラップ特集だぜ」

どこかリズムの狂ったテープレコーダーのようなアナウンスが流れだす。ぼくはカルボナーラをフォークの先でかき混ぜながら、いたたまれないほど恥ずかしくなった。ダイが口に地鶏の固まりを頬ばったままいった。

「Bってバカのβか」

教室のあちこちで冷たい笑いが起こった。ユズルが学年とクラス名をいわなくてよかった、うちのクラスの名誉はなんとか守られた、そんな雰囲気だ。放送委員は当人だけ快調に続けた。

「それじゃMCのクールなおしゃべりはこれくらいにして、本日の一曲目いってみよう。キングギドラで『アンストッパブル』。これ、セキモトのテーマ曲みたいだな。誰がなんていっても、おいらはとめられないぜ」

ぼくはクリームソースでどろどろの皿にフォークを落としそうになった。自分のことを名字で呼ぶなんて「モーニング娘。」みたいだ。お腹に響く低音のリズムトラックにのって、懸命に悪ぶっているだみ声のラップが始まった。

ユズルのアナウンスがとぎれて、クラスに安堵《あんど》の空気が流れた。ダイがいった。

「誰かあいつをなんとかしてくれないか」

「ほんと、あいつひとりのおかげでクラスの雰囲気が悪くなってしょうがない」

ジュンが追い打ちをかけた。普段はおとなしいナオトが口を開いた。

「なぜ関本くんて、こんなにみんなの気にさわるのかな」

ジュンが振りむいていった。

「やっぱり才能がないからじゃない。コメディアンになりたいっていうくせに、自分が滑ってることにぜんぜん気づかない。まわりの空気を読めっていうんだ。絶対に実現しない夢を大風呂敷に語るやつって、ものすごくうざったいよ」

ぼくは黙っていたが、ジュンのいうことはよくわかった。たいていの中学生は将来に不安をもっている。受験戦争だってあるし、実社会なんて牢獄《ろうごく》のようなところに決まっている。ユズルの無神経は、クラスのみんなの不安を逆なでするのだ。

スピーカーから流れる曲は、キングギドラからリップスライムに変わった。みんなは黙々と給食をかたづけ、軽快なラップのリズムとは逆にどんどん教室の空気が重くなっていく。簡単な曲紹介をはさんで、麻波《マッハ》25とキック・ザ・カン・クルーが流れた。きいているとユズルの選曲は、最近のヒットチャートにはいったラップを適当にかけているだけのようだった。どれも誰でも知っているヒットシングルなのだ。二十五分の昼休みの放送はすぐに残り五分になった。ユズルは最後のMCで、ひとり興奮しているようだ。

「それじゃ、みんなとのお別れにとっておきの曲をかけるよ。アラシの『ア・デイ・イン・アワ・ライフ』」

ダイがいった。

「なんだよ。結局、最後はジャニーズかよ」

続いて爆弾発言が放送室から月島中学の全教室に流された。

「ラップはセキモト〝Bボーイ〟ユズルだ。のっていこうぜ」

アラシの曲の前奏が始まった。カラオケのトラックのようだった。しばらくして英語はまったく苦手なユズルが、カタカナ読みの英単語で微妙にリズムをはずしたラップをがなり始めた。しかもあちこちにぜんぜんいけてないあいの手をいれたりする。オーイエーとか、チェキラとか、さわげーとか。ぼくたちの教室はそのたびに極地的に氷点下を記録した。

こんなに寒い校内放送は初めてだということで、ジュンとダイの意見は一致した。評決はとらなかったけれど、それはクラス全員の総意だ。普段はいろいろな対立があったりするけれど、ことユズル問題にかんしては、みんなの意見は同じだった。

できればクラスから除名処分にしたい。理想的には中学生を辞任してほしい。民主主義の教室では、嫌われ者の一匹オオカミに居所はないのだった。

放送日の放課後、げた箱で靴をはき替えていると、ユズルが背中越しに声をかけてきた。ぼくは嫌々振りむいた。

「今日のラップ、どうだった？　けっこういけてた」

ぼくは言葉をなくしてあいまいにうなずいた。ユズルはそれをいい反応だと思ったようだ。にっこりと笑って、ぼくにいう。

「やっぱりさ、今度の放送でいっしょに組んで、もう一回うたおうよ。北川くんの歌、いけてたもん。はやりのアカペラでやろう。ぼくたちが組んだら、学校中の女の子がうちの教室に押しかけてくるって」

あわてて首を横に振った。

「かんべんしてよ。もうちょっと空気を読んだほうがいいんじゃないか」

先に校庭にでていたジュンが助け船をだしてくれた。

「オーイ、テツロー、ユズルとなにか話があるのか」

「今いく」

ぼくはスニーカーのかかとを踏んだまま、足をひきずって校庭におりた。ユズルはげた箱のまえで残念そうな顔をして立っている。ぼくの背中にいった。

「来週はさ、別な企画を考えてるから、たのしみにね」

ぼくはつぎの企画に絶対キャスティングされたくなかったので、きこえない振りをして早足で校庭を歩いていった。


ユズルの新企画は週明けに判明した。教室のうしろのコルクボードにでかでかとポスターが張りだされたからだ。

［大ぐいバトルロワイアル］

ユズルらしくまたテレビの番組のパクリだった。紫の太いマジックで書かれたタイトルのしたには、挑戦者求むとあった。チャンピオンのユズルに挑戦して勝利した者には、賞金三千円が贈られるのだそうだ。

腕組みしてポスターを見ていたダイがいった。

「なんでユズルがチャンピオンなんだよ」

ダイはかなり不服なようだった。たべることと体重にかんしては、絶対の自信をもっているのだから、それもあたりまえだ。ジュンがいった。

「ユズルなんてこてんぱんにやっつけちゃえよ。ダイならやつにハンディをつけてやってもいいくらいだろう」

ぼくはダイとユズルの体格をくらべてみた。ユズルはとくに背は高くない。肉づきも普通だ。ダイとは体重で五十キロ、身長で二十五センチくらいの差がある。ダイがいるのによく大ぐいチャンピオンなんていえたものだ。ナオトがちいさな声でいった。

「でもさ、バトルロワイアルってつかいかた間違ってるよ。だってこの勝負一対一の試合なんでしょう」

ジュンが肩をすくめた。

「ユズルは意味なんてわかってないさ。ただにぎやかでカッコよさそうなら、それでオーケーなんだ。ダイ、やっぱりめためたにやっちゃってくれよ」

ダイはまかせろといって胸をたたいた。となりのクラスの図書委員くらいあるでかい胸がぶるぶると揺れる。自信たっぷり。ユズルはほんとうにだいじょうぶなのだろうか。なぜか、ぼくが心配していたのは仲間のダイではなく、あのいかれた放送委員のほうだった。

対決はとんとん拍子で決まった。無理もない。ダイ以外にはユズルに挑戦する者はいなかったのだ。最初は三千円の賞金につられて、男子の数人が手をあげたが、ダイが本気だと知ってみな早々にあきらめてしまった。

勝負は再び水曜日の昼休みに決定した。クラスの全員が一枚ずつ給食のトーストを提供し、配膳《はいぜん》箱のなかの残りもかき集められた。ダイとユズルの机は教室の中央で横に並んだ。お互いに観戦席をむいたフードファイトの定番ポジションだ。目のまえには二十五枚のトーストが積んである。茶色の壁は高さにして約四十センチ。まっすぐに重ねると、ただのトーストにものすごい厚みを感じた。大柄のダイでも座った位置で、眉《まゆ》のうえまで届いている。

圧倒的な身体《からだ》つきの挑戦者のとなりでも、ユズルは平然としていた。テレビ番組の二枚目の大ぐいチャンピオンみたいだ。眉の形がきれいに整っている。きっと昨日の夜、眉を剃《そ》ったのだろう。教室のほかの生徒たちは給食の手を休め、息をのんでふたりの対決を見つめていた。もっともわずかなおこづかいを賭《か》けていたのだから、真剣なのも当然だった。予想では圧倒的にダイが優勢。問題はどちらが勝つかではなく、どれだけの差をつけてダイが勝つかだった。ハンディはトースト十枚。それでもユズルにのった生徒の数はかぞえるほどしかいなかった。ぼくはその少数派のひとりで、自転車雑誌をひと月分がまんして、大金五百円をユズルに賭けた。ジュンは裏張りの大ばくちだといったが、あれほど自信がありげなのだから、ユズルもいい勝負をするだろうとぼくは思っていた。

審判役を買ってでたジュンが、メガネを中指で押しあげていった。

「時間は二十分。のんでいい牛乳は三本だけ。そのあいだに一枚でも多くたべたほうが勝者だ。いいか」

ユズルとダイは無言でうなずいた。

「用意、スタート！」

ユズルは周囲をゆっくりと見わたし、牛乳をひと口のむと、トーストを一枚とって普通にたべ始めた。とくに急いでいるふうでもない。ダイは横目でそんな放送委員を見てから、首をぐるりと一回まわした。積みあげられた茶色の壁から三枚をとると、ぐるぐると両手で丸め、缶コーヒーくらいの太さの筒にする。ダイは圧縮パルプのようなパンの筒を口に押しこむと、とんでもない速さでかじりだした。

最初の三枚を片づけるのに一分半。ダイは乾いた口のなかを牛乳で軽く湿らせると、厳しい表情のままつぎの三枚にとりかかった。こちらもまったく同じ九十秒でかたをつける。ナオトがぼくの耳のそばでいった。

「なんだか勝負の行方《ゆくえ》が見えてきたね」

ぼくは黙ってうなずいた。ダイが六枚を平らげるあいだに、ユズルは一枚半をたべただけだったのだ。どこが大ぐいチャンピオンなのかわからないペースだ。

あっさりと勝敗が決まりそうで、クラスの興奮は落胆に変わった。校内放送でラップが流れたときのように教室の空気が冷えこんでいく。ユズルはまた口だけだったのだ。なんでもいいから適当におもしろおかしいイベントをぶちあげて、自分がその中心にいられればそれでいい。勝手なタレント志望者。ぼくは勝負を見ていて、だんだん悲しくなってきた。だいたい誰かがものをたべているのをじっと見ていると、しだいに悲しい気分になってくるものだ。テレビの旅番組なんかで、盛りをすぎた女優がどこかの温泉の山盛りの夕食なんかをたべているのを見るけど、みんなはあれに人生の悲哀を感じないのだろうか。

十五分後にでた結果は、予想どおりのものだった。ダイの圧勝。挑戦者がトースト二十五枚をくい尽くした時点で、ユズルはたった四枚半だった。得点差は問題にもならない二十枚以上。大甘のハンディ十枚の二倍だ。ぼくの五百円はゼロになった。ダイは当然の表情でジュンから勝ち名のりを受けた。横をむくと負けてもにやにやしているユズルにいった。

「ちゃんと三千円よこせよ。今すぐな」

ユズルはポケットから財布をだすと、べりべりとマジックテープをはがして、くしゃくしゃの千円札を机においた。ダイの手がさっと机のうえをさらっていく。たいして残念そうでもない顔色でユズルはいった。

「今度はコーラの一気のみで勝負しない」

ダイはうんざりしたようだった。蠅《はえ》でも払うように手を振るといった。

「いつでも相手になるけど、つぎは賞金二万円な。それにしてもおまえ、ほんとにやる気あんのか。もっと修行してからこいよ」

教室はもういつもの雰囲気にもどっていた。あちこちで誰かがおしゃべりを始め、ユズルの大ぐい勝負など誰も気にしていないようだ。ジュンは早速賭金の分配にとりかかった。二十枚もトーストを積んだ机を離れると、ユズルはぼくのところにやってきた。肩をすくめていう。

「やっぱり身体をつかうのは、ぼくはダメみたいだ。ねえ、けっこうおもしろかったかな」

ぼくは首を横に振った。なんだかユズルと話していると、首ばかり振ってしまう。

「勝負にさえなってない。あれじゃ視聴者は満足しないよ」

ユズルは首をかしげた。

「やっぱりそうかな」

ぼくはいらついてきた。

「わかってるなら中途半端《はんぱ》なイベントなんてやらなきゃいい」

ぼくの声は厳しかったが、ユズルにはこたえていないようだった。しばらく腕組みをしてから放送委員はいった。

「わかった。つぎからはもうちょっときちんと準備をしてからやるよ」

ぼくはあきれていった。

「つぎってなに？　まだやる気なの」

ユズルはウルフカットの毛先に指を巻きつけていった。

「うん。新しい企画を考えてある。でも今度は北川くんのいうとおり、しっかり練習してからみんなに告知する」

ぼくはあいた口がふさがらなかった。なにもいえずに黙っていると、ユズルは恥ずかしげな笑顔で上目づかいでぼくを見た。

「どうせむりだろうけど、つぎの企画いっしょにやらない」

絶対むりといって、ぼくはユズルのいる教室を離れた。

ユズルはそれから半月ほど静かにしていた。校内放送でラップをやったり、意味不明のフードファイトを開催したりはしなかったのだ。おかしなイベントを企画していないときのユズルはどちらかといえば目立たない生徒だった。勉強は得意ではないし、スポーツでも飛び抜けたところはない。ギャグだって当人以外には受けず、別におもしろくもおかしくもなかった。その他大勢の地味な男子生徒のひとりだ。

そのユズルが三度目のイベントを発表したのは、五月も終わりになってからだった。ある朝、ぼくが教室にはいると制服の白いシャツのうえに、黒いマントのようなものをはおったユズルが教壇に立っていた。黒板には「陰陽師《おんみょうじ》」と白墨を横につかって太文字で書かれていた。すでに何人かの生徒がユズルのまえに集まっている。

ユズルはぼくを見ると片手をあげた。指先を切り落とした黒い革手袋をしている。左目のしたにはマスカラで、黒い涙が描いてあった。ぼくは自分の机にカバンをおいて、声をかけた。

「今度はなにをするんだ」

どうせまたテレビのインチキ怪奇番組のパクリだろうが、ぼくは一応きいてみた。ユズルは教壇からなにかとりあげて、ぼくに振ってみせる。朝の教室の光りを受けて、まま新しい金属がきらきらと輝いていた。レストランなんかで使う大振りのスプーンとフォークのようだった。

「今回は練習もばっちりしてきた。このスプーンを陰陽師の念力で、ぐにゃぐにゃに曲げてみせます」

そういってスプーンを一本とり、手近にいる生徒に確かめさせる。その男子は両手でつかみ、力をいれて曲げようとしたが、厚い金属の食器はびくともしないようだった。ユズルはもどされたスプーンで教壇の端をこつこつとたたいた。

「ごらんのとおり、種も仕かけもありません」

するとぶつぶつと口のなかでなにかつぶやきながら、スプーンの首をこすり始めた。なかなかすぐには曲がらないようだった。数分後にはユズルの地味なパフォーマンスに飽きてしまった数人が教壇を離れ、放送委員は必死でスプーンに念力を送り続けた。ぼくはといえば、なんだかかわいそうで見ていられなくなり、ナオトとどうでもいいようなおしゃべりをしていた。一時間目が始まるまで残り五分を切っても、黒手袋の陰陽師の奮闘は続いていた。

チャイムが鳴った。ユズルがおおきく息をついたのは、もう国語の先生がやってくる直前だった。かすかに曲がったスプーンを頭上にあげて叫んだ。

「見てよ、曲がったよ、スプーン」

確かにスプーンは首のところからほんのすこしお辞儀をしているようだった。ジュンがいった。

「よかったな。いいからユズル、席にもどれよ」

ユズルは教壇のうえから数本の食器をさらうと、黒いマントに包んであわてて席についた。目のまえで見せられるとわかるのだが、テレビのおどろおどろしい演出がないと、スプーン曲げはものすごく貧相な超能力だった。ユズルは席につくとティッシュでマスカラをぬぐいながら叫んだ。

「今日の放課後、この続きをやる。スプーンだってフォークだってばんばん曲げちゃうから、みんな見にきてね」

その瞬間、教室のまえの扉が開いて先生がはいってきた。大学の国文科をでて二年目の家庭教師みたいな女の先生だ。誰も返事ができないまま、ユズルの言葉は宙に浮いて、ぼくは奇妙に中途半端な気分になった。


その日の放課後、ユズルはまた黒いマントと手袋を身につけた。場所は教壇から窓際《ぎわ》の席に替わっている。窓の外はいい天気で、五月のぼんやりと青い空が広がっていた。朝汐《あさしお》運河のむこうには、佃の超高層ビルが何本も空を刺している。SF映画の未来都市みたいだけど、あそこの足元の公園はぼくたちのいつもの遊び場だ。

時間をもてあました帰宅部の生徒がユズルの机をとりまいていた。そのなかにはぼくとジュンとダイとナオトもいた。ユズルはカバンからスプーンとフォークをとりだした。全部で十本以上あるようで、その場に残っていた全員に配っていく。

「ぼくが念を送るから、みんなも陰陽道にチャレンジしてみようよ」

どう考えてもスプーン曲げはユリ・ゲラーで、陰陽師とは関係がないと思った。あちらは悪霊を祓《はら》ったり、式神をつかったりするほうだろう。きっとみんなわかっているのだろうが、あまりユズルが熱心なので口をはさめないようだった。ジュンは手のなかで、フォークを転がしていった。

「超能力もいいけどさ、ユズルはこういう……」

ジュンは困ったように周囲を見た。

「……おたのしみ会みたいなことを、これからもずっと続けるつもりなのか」

ユズルはうれしそうにいう。

「うん。みんなによろこんでもらえたら、いうことないよ。それじゃ、いくよ」

ユズルは無邪気にスプーンの首をこすり始めた。五分だけつきあおう。ぼくは教室の時計を見てから、目のまえにあげたフォークの根本を親指でこすり始めた。十人近い中学生が放課後の教室で金属片をこする。あけ放した窓からは、身体《からだ》がむずがゆくなるような春の風が流れこんできた。

五分では終わらずに、念力タイムは十分に延びた。結果はまあまあだった。男子生徒のふたり、女子生徒のひとりがスプーンやフォークを曲げたのだ。だが、感激は薄かった。だってスプーン曲げなんてあまりにありふれているからね。

ダイが曲がらなかった食器をほうりだしていった。

「ユズルの念力はおれには効かないみたいだな」

ジュンはとがった先があちこちの方向にねじれたフォークを振って見せた。

「ぼくはこんなところだ。でも別に念力を送ってもらわなくても、これくらいは昔からできた」

そうなのだ。たまにお金とひまがあるときなど、ぼくたち四人はファミリーレストランにいくことがあった。そこでジュンは退屈するとよくスプーン曲げをしていた。スプーンとかフォークというのは、人の思いだけでもともと簡単に曲がるものなのだ。別に驚くほどのことはない。千トンプレス機みたいに自動車のボディを毎日千台もつくれるわけではないのだから、そんなものほとんど無駄な能力なのである。中学生の超能力だけで動く工場があればきっとおもしろいだろうが、そんなのむりに決まっている。

「みんなこれできるんだ」

ユズルは朝と同じようにほんのわずかうつむいたスプーンをもって残念そうにいった。

「この二週間、朝から晩まで練習してたんだけどな」

ちらりとぼくのほうを見た。またオーディションに落ちた、そんな悲しそうな目だ。

男子生徒の誰かがいった。

「ユズル、ほかになにかできることないのか。おまえ超能力あるんだろ。いよ、陰陽師」

放送委員の顔つきがさっと変わった。何度か奥歯をかみしめたようで、頬が厳しくひきつる。ユズルは叫ぶようにいった。

「できるよ。ぼくは空だって飛べる」

たくさんのため息がきこえた。ダイがつぶやく。

「あーあ、いっちゃったよ」

男子生徒が手拍子をとって、叫び始めた。

「飛ーべ、飛ーべ、飛ーべ」

だんだんと声はおおきくなり、女子まで加わって大合唱になった。ぼくはじっとユズルを見つめていた。ユズルの顔は赤くなったり、青くなったりしたが、照れたような笑いは張りついたままだった。最後には頭のうえに両手をあげて自分で調子をとっている。

「飛ーべ、飛ーべ、飛ーべ」

必死な目をして、ユズルはみんなといっしょに叫んでいた。立ちあがると右手をまっすぐに伸ばしていった。

「関本譲、飛びまーす!」

うっすらと笑ったまま、ぼくのほうをちらりと見た。ユズルは机の列を抜けて教室を走りでていく。ぼくはあわててあとを追った。

ぼくたち二年生の教室は三階にあった。月島中学の校舎は四階建てだ。ユズルは黒いマントをなびかせながら、廊下を走っていった。目指しているのは校舎の両端にある階段のようだった。

「ユズル、待って」

ぼくは駆けていく背中に叫んだが、ユズルは振りむかなかった。ぼくのうしろをほかの生徒が追ってくる。ジュンがいった。

「あいつ、なにするつもりだ」

誰もこたえる者はいなかった。焦《あせ》る気もちだけ、どんどん高まっていく。ぼくたちが三階の階段に到着したときには、ユズルは踊り場を駆け抜けていた。ぼくは二段とばしで階段をのぼった。手すりをしっかりとつかみ踊り場で急ターンして、四階までの残りを一気にのぼろうとした。そのとき、ぼくは見た。

ユズルは開いたままの四階の窓枠に手をかけて、ためらいも見せずガードレールを飛び越えるように軽々とジャンプした。窓のむこうの鈍感な五月の空に、黒いマントを着た少年が横倒しに浮かんでいた。やわらかな風にのって、ユズルがゆったりとくつろいでいるようだった。風がマントの裾《すそ》とウルフカットの毛先をやさしく揺らしている。ぼくに追いついてきた生徒が叫んだ。

「あぶない、やめろー」

ユズルは困ったような笑顔のまま、一瞬校舎のなかにいるぼくたちのほうを見た。地上に縛られたぼくたちを哀れんでいるような目だった。それから黒いマントの放送委員は、地球上のすべての物質と同じように行動した。万有引力の法則に従ったのだ。

ユズルは墜《お》ちた。

ジュンが叫んでいた。

「ダイ、先生を呼んできてくれ」

フリーズしていたぼくは、その声でようやく動くことができた。四階の窓まで駆けあがり、顔をつきだす。緑の植えこみのなかにちいさくユズルが倒れていた。すでに周囲から人が集まりだしている。

「だいじょうぶか、ユズル」

気を失っているようで、ユズルはぴくりとも動かなかった。救急車のサイレンがきこえてきたのは、それから数分後だ。

その日の放課後、ぼくたちはたっぷりと絞られた。ひとりの生徒に教師がふたりがかりで事情聴取をした。ぼくは何度も同じ話をしなければならなかった。途中でうちの担任の携帯が鳴った。小声で話して、ため息をつく。やる気のないサラリーマンみたいだから、リーマンというあだ名がついた担任は携帯を閉じるといった。

「関本は命に別状はないそうだ。だが、両足に大けがをしている」

そうですかとぼくはいった。話をしてわかったのだが、リーマンの関心は自分の担当するクラスで「いじめに近い状況」があったかどうかということらしかった。ぼくは放課後のイベントについて説明した。陰陽師《おんみょうじ》によるスプーン曲げショー。ぼくの説明はかなり詳しかったが、うちの担任にはなんのことだか、まるでわからないようだった。最後にぼくはいった。

「別にいじめなんてことはなかったと思います。イベントだって全部ユズルが自分で企画していたし、むりやりやらせたなんて雰囲気ではなかったです」

「それじゃ、なんで関本は四階から飛びおりたんだ」

それは事情聴取のあいだ何度も考えたことだった。ぼくは正直にいった。

「わかりません。でも、もしかしたらユズルは突然飛びたくなっただけかもしれない」

首をかしげるリーマンに、ぼくは続きの言葉をのみこんでいた。教室を駆けだしていくユズルの笑顔を思いだす。あのときユズルはほんとうに自分が空を飛べると思っていたんじゃないだろうか。

ユズルやぼくみたいな中学生だけでなく、誰にだってなんでもできると思いこむときがある。もちろん、そんな思いこみは間違っていて、現実の地面に急降下してクラッシュしちゃうんだけど、その瞬間はほんとうになんでもできるって感じがするのだ。

そういうのは、まったく悪くない感じだ。単純な思いこみでもかん違いでも、ニュートンの法則よりもっと強く自分のことを信じていられるのだから。リーマンにはまるでニュアンスが伝わらなかったけれど、それはしかたないことだった。ぼくだってそんなことが正気じゃないのはわかっている。でもときどき、ぼくたちは正気じゃないことをしてみたくなったりするのだ。

月島中学ではユズルの飛びおり事件は、なにもなかったこととして扱われた。地元の教育委員会や警察にはきちんと届け出をしたようだが、学内では校長先生が生徒を体育館に集めて、一度だけ命の大切さについて公式見解を発表しただけだ。

さすがにリーマンは自分のクラスで起きた問題だったので、いつもよりたっぷりと時間をかけてホームルームを開いた。ほとんどの生徒にはいい迷惑だったろう。なにせ肝心のユズルが入院中で、飛びおりの動機は誰にもわからないままだった。ほかの生徒は誰も四階から飛んでみようなんて思いもしないのだから、命の大切さなんて言葉はティッシュペーパーのように軽くみんなの頭上を流れていくだけだった。

ぼくがひとりでユズルのお見舞いにいったのは、あの日から一週間後だった。退屈しているだろうと思って、近くのコンビニでテレビ雑誌を何冊も買っていった。病院は隅田川の対岸にある聖路加国際病院だ。子どものころからかかりつけなので、ホテルのロビーのような立派な受付からエレベーターでまっすぐユズルの個室にむかった。この病院は値段はちょっと高いのだけれど、すべての病室がプライバシー保護のために個室になっている。

　ぼくは客船の窓のような丸いガラス窓をのぞきこんだ。三度ずつノックする。

「はーい」

　ユズルの元気な声がきこえた。スライドドアをひいて、病室にはいった。ユズルは両足をギプスで固めて、パイプフレームのベッドで上半身を起こしていた。ぼくはコンビニの白い袋から、テレビ雑誌をだした。サイドテーブルにおいてやる。ベッドの横のソファに腰をおろした。ユズルの足は足首のうえのところで、両方とも骨折しているそうだ。

「だいじょうぶ。もう痛くはないの」

　ユズルはいつもの困ったような笑顔でうなずいた。

「もう、平気だ。痛くなっても、薬をのめばすぐに痛みはひく」

「そう」

　ぼくはじっとユズルの様子を見ていた。いつだってこの世界から五センチくらい浮きあがっているように見える人がいる。ユズルは足先をギプスでがちがちに固められていても、病院の白いベッドのうえでわずかに浮いているようだった。

「あのときは驚いたよ。急に駆けだすから」

ユズルはうなずいた。黙って笑っている。

「どうして四階から飛ぼうなんて思ったんだ」

まぶしげに目を細めて窓の外の並木を眺め、ユズルはいった。

「なんだか全部めんどうくさくなって。全部どうでもいいと思った。ぼくが飛べても飛べなくてもいい。どっちでもよかったんだ。まあ死ぬこともないだろうくらいの気もちだった」

こたえる言葉がなかった。ユズルはにこりと笑っていう。

「でもあの瞬間はほんとうに空を飛んでいる気分だった。時間がすごく長く延びて、ずっと四階の窓の外に浮かんでいる気がした」

「そうかもしれない。踊り場から見ていたけど、ずっとそのまま落ちないんじゃないかとぼくも思った。もしかするとユズルには超能力があるのかもね。一瞬だけでも空中浮遊ができたのかもしれない」

ぼくがそういうとユズルは顔を崩して笑った。それから急に真剣な顔をした。

「知ってるかもしれないけど、うちには父親がいないんだ。ぼくが幼稚園にいっているころ死んでしまった。自殺したんだ。やっぱり飛びおりだった。だから急にみんなに飛べ飛べってはやされて、父親みたいに一丁飛んでやるかなんて気になったのかもしれない」

ユズルはぼんやりと笑っていた。目にはうっすらと涙がたまっている。ぼくはユズルに父親がいないのは知っていた。だが、自殺していたなんて初耳だった。

だがどこかおかしい。いつかの学校行事のときに、ユズルの父親を見たことがあった気がしたのだ。恐るおそるきいてみる。

「ぼくのかん違いかもしれないけど、昔学校にユズルのお父さんがきていた気がするんだけど」

ユズルはベッドのうえで舌をだした。

「なんだ、北川くんは知っていたのか。離婚したのはほんとうだけど、自殺はぼくの脚色だよ。昨日の夜、NHKのドキュメンタリーですごく悲しいのを観《み》たんだ」

ぼくは声をあげて笑った。

「それで自分も父親に死なれた気になったんだ」

ユズルはどこまでいってもユズルだった。一度や二度の飛びおりくらいでは、この放送委員を変えることなんてできないのだ。

「もう北川くんなんて呼ばなくていいよ。これからはみんなみたいにテツローでいい」

ユズルは勢いよくうなずくといった。

「ねえ、テツロー。じゃあさ、アラシの曲ふたりで組んでやろうよ。ぼくは二学期に学校にもどったら、また放送委員に立候補するから。校内放送で一発かまそう」

「絶対むり」

ぼくたちは声をそろえて笑った。

しばらくむだなおしゃべりをしてから、ぼくはユズルの病室を離れた。駐輪場からマウンテンバイクをひきだす。青いフレームにまたがり、ゆっくりと隅田川べりの道を走りだした。鉛のように固そうな川面のうえには一週間まえと同じ、鈍い五月の空が広がっていた。

佃《つくだ》大橋をわたりながら、ぼくはその薄青いスクリーンに見た。たくさんの中学生が、らくらくと宙に浮かび、思いおもいの姿勢でくつろいでいる姿だ。あるものは寝そべり、あるものは頬づえをつき、あるものは空高く足を組んでいる。

そこにはユズルもジュンもダイもナオトもいた。それにもちろんこのぼくも。
わかるだろうか？　空を飛ぶなんて、中学生にはとても簡単なことなのだ。

十四歳の情事

梅雨にはいる直前の一週間は、空のサーモスタットが壊れてしまったようにいきなり暑くなることがある。毎日最高気温は三十三度から三十五度。月島は東京湾に浮かぶ埋立地で地面は百パーセント、アスファルトかコンクリートで固められているから、そんな日の暑さといったらはんぱじゃない。焼けたフライパンのなかのポップコーンになって、ぼくたちはすこしでも涼しいところを求め、自転車でちいさな島のなかをはじけまわることになる。まだ身体《からだ》が暑さに慣れていないから、ダイのように太っていなくても誰だってバテバテだ。

だが今年はちょっとだけ様子が違っていた。トラックにひかれたネコみたいにまっさきに暑さでぺしゃんこになってしまうはずのジュンがなぜか元気なのだ。いつもなら皮肉な冗談か、クールな現実観察しか口にしないはずなのに、佃《つくだ》大橋のうえで「夏の夕焼けってきれいだよな」なんていったりする。さすがにそのときは、その場にいたナオトとダイとぼくは顔を見あわせてしまった。ジュンは薄くほこりをかぶった欄干にもたれて、佃島にそびえる超高層ビルを見あげながらそういった。セルフレームのレンズは、明かりが半分ともったガラスの塔とそのうえのバラ色にくすんだ空を映していた。海風が吹いて、ジュンの短い前髪が揺れる。残りの三人はなにもいえずに、夏の夕焼けの雲と空のショーを見ていた。

今にして思えば、そんなことと当然だったのだ。だってそのときジュンは十四歳で、新しい恋の始まりのなかにいた。晴れていようが雨だろうが、嵐《あらし》の雲が割れて腐った魚が降ってこようが、すべてきれいに決まっていたのだ。それを見てもきっとジュンは同じようにいったと思う。

「腐った魚ってきれいだよな」

だから今回はジュンの恋の話をしよう。そこにはきらきら輝くところと、腐って嫌なにおいをはなつところがあった。それはすごくきれいな腐った魚みたいだったのだ。でもいつだって恋なんてそんなもんだよね。

その日、ぼくたちは月島区民センターにいた。三階の図書館ではなくて、一階のロビーのほうだ。奥は区役所の出張所になっていて、手前のロビーにはソファセットと大画面のテレビがおいてある。冷房もばっちりだ。なんの用もなさそうな老人が何人か、いつものようにぼんやりしていた。

なぜ定番の図書館ではなく、ロビーにいたかというと、そこなら携帯電話の使用が禁止されていなかったからだ。ジュンがなぜか強硬に携帯のつかえるところでなければだめだといいはったのである。ぼくたちは黒いビニールの区役所的なソファに座り、冷凍庫に避難したペンギンみたいにぐったりとくつろいで、中央区の観光名所が流れるテレビを観《み》ていた。べったら市とか十返舎一九《じっぺんしゃいっく》のお墓とか水神さまのお祭りとかね。そのあいだも、ジュンだけが携帯のフラップを開けたり閉めたり、必殺の親指入力でメールを送ったりしていた（ジュンの親指のスピードは光速よりすこし遅いくらいだ）。メッセージがはいるたびにソファを離れ、遠く柱のかげで携帯の画面を読んだりする。

何度かそんなことが続いた午後四時すぎ、いきなり「ある愛の詩《うた》」のテーマ曲が、ジュンの携帯から分厚い装飾和音つきで流れだした。最近レンタルで観て、気にいった映画なのだという。ジュンはちらりと画面を見ると、さっとソファから立ちあがった。耳元に携帯をあてながら、白い石を張った柱にむかって歩いていく。ダイがジュンのやせた背中を見送りながらいった。

「なんだか、ジュンのやつ、このごろ怪しくないか」

ナオトも半分銀色の頭を振ってうなずく。

「うん。最近いつもそわそわしてるし、なんか変だ」

ソファからまっすぐに足を投げだして、ぼくもいった。

「なにかぼくたちにはいえないことがあるんじゃないか」

「絶対、女だな」

ダイの台詞にはいつだって無駄がない。だるそうにテレビを観ながら続けた。

「やっぱ、ちゃんと探りだしたほうがいいんじゃないか。どんな女だか知らないけど、隠してるのはよくないよ。おれたちのあいだで秘密なんてさ」

ダイはつまらない冗談をきいたように歯をむきだして笑っている。ナオトが不安げにいう。

「でもジュンのことだから、うまくいったら紹介してくれるよ、きっと」

ぼくは立ちあがり、背伸びをした。なんだかようやくやる気がでてくる。ソファでだらけているふたりにいった。

「ジュンには内緒で相手をしらべださないか。このごろなんにも起きないし、退屈だろ、みんな」

静かな水面に石を投げたようにダイの表情が動きだす。

「スリルがあって、おもしろそうじゃん。やろうぜ」

ぼくがうなずいて、ふたりの視線はナオトに集まった。迷ってるようだ。ナオトは細い声でいう。

「だけど、それで相手とうまくいかなくなったりしたら……」

そのときジュンがもどってきた。やたらに機嫌がいい。ぼくたち三人の顔を順番に見て声を張った。

「なに話してんだよ。どうせろくでもない計画かなんかだろうけどさ。悪いけど今日は帰るわ。うちで急用ができちゃってさ」

「でもジュンの話なん……」

ナオトがそういったところで、ダイがあわてて割ってはいった。

「いいから、いいから。急用なら早く帰ってやれよ。うちの人が待ってるんだろう」

にやにやしながら、ダイはナオトのわき腹を肘《ひじ》でつついた。やはり恋の病は重症のようだった。普段のジュンなら、そんなばればれのジェスチャーを見逃すはずがないのに、そのときはあっさり自分への悪だくみを流してしまった。

「そうか、悪いな。じゃあ、おれ、ここで」

右手をさっとあげて別れの挨拶《あいさつ》をすると、ジュンはくるりと背をむけて歩いていってしまう。サイケデリック柄のTシャツがガラスの自動ドアを抜けて見えなくなると、ぼくたち三人は我慢できずに、静かな区民センターのロビーを走りだした。

夏の初めの午後四時なんて炎天下といっしょだった。太陽はまだ傾きもせずに、空のまんなかにいる。ジュンが駐輪場でマウンテンバイクの鍵《かぎ》をはずしているあいだ、ぼくたち三人はエントランスで二枚の自動ドアのあいだにはさまれていた。冷房もなかのロビーほどきかないガラスの温室みたいな場所だ。早くも汗を流し始めたダイが、首に巻いたタオルで額をこすった。

「あんまり遠くじゃないといいな。こんな日に自転車で走ったら、体重が半分になる」

ナオトはまだ迷っているようだった。

「でもジュンは家に帰るっていってたじゃないか」

ぼくはかがみこんだジュンをほこりでかすむガラス越しに見ながらいった。

「嘘《うそ》に決まってるだろう。どこの中学生が遊びの途中で家に帰れっていわれて、あんなにうれしそうにするんだよ。電話をかけてきた誰かと会うに決まってる、絶対だ」

ジュンは赤い自転車にまたがると、清澄《きよすみ》通りを走っていく。信号でひっかかっているのを確認して、ぼくたちはそれぞれの自転車であとを追った。

ジュンは交差点をわたるとスズカケノキの並木道を、西仲通りにはいっていく。もんじゃ焼きの店はどこも開店準備にいそがしいようだった。家に帰るなら交番の角で曲がるはずなのに、ジュンのマウンテンバイクはそのまま月島駅にむかっていく。ダイが最後尾で叫んだ。

「やっぱりな。おかしいと思った」

ナオトでさえ目を輝かせていた。軽自動車くらいの値段がする輸入品のマウンテンバイクのうえから、ぼくを振りむいていった。

「なんか誰かを尾行するのって、すごいどきどきするね」

ぼくはうなずいて、ペダルを踏む足に力をいれた。ジュンがわたった駅前の青信号に滑りこむため、ぼくたちは交差点にむかった。梅雨にはいるまえだから、交差点の熱風は乾いて軽かった。

誰かがあとを追ってくるなんて、ジュンはまったく考えていないようだ。赤い自転車は佃島の古い家なみをすぎて、泥水のようによどんだ掘割を越え、佃公園にはいっていく。いつものぼくたちのミーティング場所だ。堤防のうえからは隅田川をいききする平底船や小型タンカーが見えた。ナオトが不思議そうにいった。

「ジュン、どこにいくつもりなんだろうな」

深緑の葉をびっしりとしげらせるソメイヨシノのうえには、リバーシティ21の高層ビルが何本も建っていた。このくらいまで近くにくると、最上階を見るためには首が痛くなるほど空を見あげなくてはならない。五十階以上の高さがある建物は、人がつくったものというよりは、歴史の始まるまえからそこにあったという雰囲気だ。夏の暑さなど無関係に、ガラスとアルミニウムとコンクリートの固まりが、隅田川と晴海《はるみ》運河を分けてそびえている。

ジュンはスカイライトタワーの手まえで自転車をおりると、公園の手すりにチェーンでしっかりとつないだ。この街でさえ、いい自転車はよく狙《ねら》われるのだ。ぼくたちは植えこみのかげからジュンを見ていた。ダイがいった。

「ここ、ナオトのマンションじゃん。ジュンのやつ、こんなところに住んでる金もちのお嬢さまとつきあってるのかよ」

ジュンは億ションがあたりまえの超高層ビルにはいっていく。ぼくたちも二十秒ほど遅れて、あとを追った。

エントランスの床は緑と白の大理石が敷きつめてあった。都心のシティホテルみたいだ。建物の中心はライトウエルといって、光りと風のとおり道になる吹き抜けが最上階まで伸びている。どこかの教会にでも迷いこんだみたいだった。光りは垂直に空から降ってきて、あたりは恐ろしく静かだ。

ジュンはエレベーターホールのまえにいくつかならんだ操作盤にかがみこんでいた。親指入力の速さで、四桁《けた》の部屋番号をたたく。操作盤のマイクに口元を寄せた。ひと言いうとすぐにガラスの自動ドアが開いて、エレベーターホールに消えていった。

「なんだか、ここにくるの慣れてるみたいだな。いそごう」

ぼくはそういって、ロビーの柱のかげから走りだした。ナオトはキーホルダーの鍵をするりと操作盤にいれた。ダイは自動ドアのまえで足踏みして開くのを待っている。ぼくたちはエレベーターホールに駆けこんだ。このエレベーターは四基あって、昼間はいつもがらがらなのだ。そのうちの一基がすごいスピードで、超高層マンションを駆けあがっていた。数字は三十九階でとまる。ダイがいった。

「これでジュンの相手がこの三十九階に住んでるのはわかったな」

ナオトが不安そうにいった。

「どうしよう。もうこのくらいでやめておいたほうがいいんじゃないかな」

ぼくは階数表示のLEDディスプレイを見あげながらいった。

「そうだな。このくらいでやめておこう」

ダイががっかりした顔をした。誰もいないエレベーターホールでは、カラオケボックスみたいに声がよく響いた。あちらよりぐっと高級な響きだけれど。ぼくは自分の声のエコーをききながらいった。

「尾行はやめて、ロビーでジュンを待とう。どうせ晩めしのまえには、帰ってくるさ」

ダイの表情が元にもどった。

「そいつはいいな」

ナオトは気弱にうなずいた。ぼくはもうひと押しする。

「いつまでも隠れてしらべるよりも、ジュンだって納得すると思うんだ」

ナオトは今度ははっきりといった。

「わかった。そうしよう」

ダイはうれしそうにTシャツの胸をたたいた。テレビのB級巨乳アイドルみたいに太った胸が揺れる。

「これで決まりだな。いつもジュンにはとっちめられてるから、今日はしっかりお返ししてやらなきゃな。それなら、すぐにはもどってこないだろうから、コンビニに買いだしにいこうぜ。もう、のどがからからだ」

それでぼくたち三人はリバーシティにあるちょっと高級なコンビニで、缶ジュースとマンガ雑誌を買ってきて、ロビーの隅に場所をとった。あまり静かすぎて、騒ぐ気にもなれない。ぼくはやっぱり超高級超高層マンションより、うちの中くらいのマンションのほうが好きだ。

ジュンが自動ドアのむこうにあらわれたのは、午後六時近くだった。ぼくたちがいるのに気づくと、やっちまったって顔をする。メガネをかけた小柄なうちのクラス一の秀才は、首を横に振りながらロビーにやってきた。

「なんで、ばれたんだ」

ダイが肩をすくめた。

「あんなにしょっちゅう待ち受け画面ばかり見てれば、誰だっておかしいと思うさ。それよりどんな女の子なんだよ。美人か、巨乳か、金もちか」

今度肩をすくめるのはジュンの番だった。

「全部はずれ。ここはまずいから、外にいこう」

ジュンは心配そうに周囲を見まわしていた。とくにぼくたちの背中越しにマンションのエントランスを気にしているようだ。ぼくはいった。

「なんでまずいんだ。もうデートは終わったんだろう」

ジュンは伸ばした中指の先でセルフレームのメガネを直した。

「ガキにはわからないよ。彼女のダンナさんが帰ってくるかもしれない」

ぼくたち三人は、そのときまったく反応できずにいた。電気が切れたみたいに停止してしまう。ほんとうにびっくりすると、人間ってなにもできなくなるみたいだ。ダイがだいぶ遅れて口を開いた。

「人妻か、すげえ。おれ、ジュンに一生ついていきたくなったよ」

「いいからいこう」

背を丸めたジュンを先頭に、ぼくたちは高さ百二十メートルのビルディングを離れた。

佃公園は堤防のうえの上段と水面近くの下段に分かれている。大人たちに見られたくないときは、ひと気のすくないしたのほうをぼくたちはつかった。その日も転げるように階段を駆けおりる。波音のきこえるベンチの中央に座ったのはジュン。となりにナオトが腰かけて、したの敷石にぼくとダイが座った。ダイは待ちきれないようにいった。

「だけど、なんでまた誰かの奥さんなんかとつきあおうと思ったんだよ」

ジュンは照れくさそうにいった。

「最近ビデオなんかでも、人妻ものって流行だろ。なんだかすごそうだし、いろいろ教えてくれるかななんて思ってさ……」

ジュンは言葉の途中でジーンズのヒップポケットから携帯電話をとりだした。フラップを開けて、どこかに電話をかける。カラーの液晶画面をぼくたちのほうにむけた。ちいさな画面にむらさき色の文字が点滅していた。

[不倫はみんなのおたのしみ！　リンリン倶楽部《くらぶ》]

ジュンはiモードの接続を切るとため息をついた。

「ぼくが見つけた不倫専門のサイトなんだ。三カ月分の会費を先払いするなら、月に千五百円でいくらでも新しい相手にメールを送れる」

ナオトは心の底からびっくりしているようだ。いいにくそうにいった。

「その相手ってほんとうにみんな人妻なの」

ジュンはさばさばという。

「半分くらいはやたら調子のいいサクラだったけど、残りはほんとうの人妻だった。

玲美《れいみ》さんとは住所が近かったから、とりあえずメールを送ってみたんだ。最初は西仲通りのあそこのもんじゃ屋がうまいとかそんな話だった」

ダイは焼けた敷石のうえで身体《からだ》をよじった。じっとしていられないのだろう。隅田川河口近くの広い水面をわたってきた夕方の風は、とても涼しかった。

「いいなあ、それで今は人妻とやり放題なんだ」

ジュンは遠い目をして対岸の築地や新富町のふぞろいのスカイラインを見ていた。

「そんなんじゃない。まだ手もにぎってないさ」

「だって相手は欲求不満の人妻じゃないのか」

ジュンはちらりとダイを見てから、ぼくを見た。わかってほしそうな目をしている。

「ダイは人妻もののAVを観すぎだ。欲求不満で誰とでも寝ちゃう人妻なんて、東スポのニュースと同じだ。ほんとならすごいけど、実際にはそんなのどこにもいないよ。さんざんメールを打ったからぼくにはわかる。みんな同じだったよ」

ぼくはいった。

「どういう意味」

「みんなどこかで苦しんでいる。今の自分でいいのか不安に思っている。明日がわからなくて悩んでいる。楽しい不倫クラブには、そんな女の人たちがたくさんいた。中学生とぜんぜん変わらないんだ。もちろん問題は人それぞれだけどさ」

ジュンはなにかに怒っているようだった。ぽんぽんと苦しげなエンジン音をたてて、タグボートが隅田川をゆっくりとさかのぼっていく。ナオトがおそるおそるいった。

「その……玲美さんだっけ、その人の問題はなんだったの」

ジュンの声はききとりにくいほどちいさくなった。

「普段はやさしくていいダンナらしい。でも彼女をなぐるんだよ。週に二回くらい。このごろは自分の手はつかわなくなったそうだ。ハンガーやテレビのリモコンをつかうんだって。今年にはいってリモコンは三台買いかえたってさ」

人妻専門不倫サイトのどきどき話を期待していたぼくたちの熱は一気に冷めてしまった。ジュンはまたおおきなため息をついた。

「でもぼくはまだ中学生で玲美さんのことはどうしようもない。ときどき中学をでたら就職して、彼女と暮らせたらなんて空想するときもあるけど、実際にはそんなことはできないし、なにもしてあげられないんだ。メールを書いて励ましたり、たまに今日みたいにお茶をごちそうになったりするだけだ。それでたくさん悲しい話をきく。玲美さんは知りあいには絶対ダンナの暴力のことは話せないんだって」

ダイがぼそりといった。

「うちのおやじといっしょだな。外ではおとなしいくせに、家ではちょっとしたことでブチ切れる。ジュンはさ、その奥さんとこれからもつきあっていくのかよ」

力のない目でぼくたちを見わたして、ジュンはいった。

「おいしい目にあったんなら、またいいことを期待してつぎの人にメールを送れるけど、誰かにいきなり一番弱いところを見せられたら、そうあっさりとさよならはできないよ。ダイだってわかるだろう」

ダイは公園の敷石にひっくり返った。暮れていく空にいう。

「ああ、わかる。くそっ、わかるよ」

ぼくもダイのとなりで横になった。ジュンを見なければ、いいにくい質問だって口にできた。

「ジュンはその人のことが本気で好きなのか」

ジュンの声は痙攣《けいれん》するように震えた。ぼくは見ていないからわからないけど、泣いていたのかもしれない。

「自分でもわからないよ。ただ他のことが考えられないだけだ」

ぼくたちはみんな黙りこんでしまった。ほんの五十センチほどしたの川岸から、水の揺れる音がする。空の半分を明かりのつき始めた塔が占めていた。六時半になって、誰からともなく起きあがり、のろのろと自転車をつないだ場所にもどった。ぼくたち四人には、それぞれの家で別々な晩ごはんが待っていたのだ。

つぎの日から誰もジュンのプラトニックな情事については話さなかった。ジュンはあい変らずメールを見たり打ったりしていたが、冗談にするやつもいない。ぼくたちだって、冗談のネタにしていいものと、してはいけないものの区別くらいつくのだ。

そうして一週間ほどするうちに、東京の空から熱気が去って梅雨にはいった。曇り空としとしと雨が続く毎日だ。あっという間に期末試験も終り（ジュンは他のことは考えられないなんていってたくせにいつもどおりの好成績で）、夏休みがやってくるのを待つだけになった。

気の抜けた学校の帰り道、西仲通りのアーケードのしたでジュンがいった。

「みんなの話をしたら、玲美さんがなにかごちそうしたいって。今日これからなんだけど、いっしょにいかないか」

ぼくたちは顔を見あわせた。雨が降っていて、とくに予定もない。ダイがいった。

「おれは別にいいよ。テツローは」

ぼくは一面灰色の空を見あげた。

「いいよ。ぼくもいく。どうせいくなら、みんないっしょのほうがいいだろう。ナオトもいくよな」

ナオトもうなずいた。ジュンはすぐに携帯メールを打ち始める。ぼくは通りの先の高層ビルをぼんやりと見ていた。最上階は低い雲のなかに溶けてしまっている。あの塔のなかにはどんな暮らしがあるのだろう。ぼくにはあそこで納豆や冷奴《ひややっこ》や鶏のから揚げをたべるなんて、うまく想像できなかった。ジュンは明るい声でいった。

「じゃあ、一度家に帰って、四時にしたのロビーで集合な」

私服に着替えたぼくたちは、三十九階でエレベーターをおりた。正面は建物のなかをつらぬく吹き抜けだった。ダイは手すりに走りよって、したを見ている。

「すげー高さだな」

ぼくも内廊下を歩いてしたを見た。遥か下方でエントランスの床の模様がかすんでいる。

「こっちだ」

ジュンは先に立って歩いていく。規則正しく窓と扉の続く長い廊下をすすんでいった。人が住んでいるようには思えない静かさだった。無人のハイテク監獄みたいだ。

「ここだよ」

ジュンが立ちどまった。３９０８号室のネームプレートには沢井と金色の文字が彫ってある。ジュンがインターホンを押すと、すぐに金属の扉が開いた。

「はじめまして、おじゃまします」

口々に挨拶《あいさつ》して、玄関にはいった。あがりかまちには、小柄な女の人が立っていた。やせているが、スタイルはいい。ジュンにきいていた三十四歳よりずっと若く見えた。二十歳も違うなんてとても思えない。ブーツカットのジーンズに白いタンクトップ、そのうえに透ける素材のシャツブラウスを重ねている。赤味がかった茶色の髪は、無造作に毛先が跳ねたパーマヘアだった。室内なのに黒い縁で濃い色のレンズがはいったサングラスをしている。最後に玄関にはいってきたジュンがそれを見て顔色を変えた。

「だいじょうぶですか、玲美さん」

彼女は顔をそむけるようにしていった。

「うん、だいじょうぶ。どうぞ、どうぞ、みんな、あがって」

ぼくたちは廊下を奥にむかった。リビングダイニングにはいると、正面には雨雲で灰色に塗りこめられた窓が広がっていた。二十畳ほどあるだろうか。ベッド代わりにつかえそうな白木のテーブルとソファセットがおいてあったけれど、それでもだいぶ空間に余裕がある。ぼくたちはテーブルに四人ならんで座った。

玲美さんは絞ったばかりだというオレンジジュースとビターチョコとオレンジのロールケーキをだしてくれる。ケーキは甘くなくて、とてもおいしかった。ぼくたちがどうでもいい学校の話をしているあいだに、ダイはしっかりとお代わりをした。

その場ではジュンだけがたのしんでいないようだった。なにかにいらいらしているみたいだ。玲美さんがナオトにいった。

「あら、ナオトくんはこのマンションに住んでるんだ」

ナオトはなぜか頬を赤くしていた。

「五階した、南西の角部屋です」

「じゃあ、ここと反対で海側なのね。それじゃ……」

ジュンがそこでいきなりいった。

「玲美さん、昨日の夜、なにかあったんですか」

会話はすべてストップしてしまう。彼女はおおきく息を吐くと、サングラスをそっとテーブルにおいた。

「もう、みんな知ってるんだからいいね」

そういうと正面を見つめた。玲美さんの左目は血でまっ赤だった。白目の部分が充血して、瞳《ひとみ》は血のなかに浮かんでいるように見える。目のまわりにはまだ赤黒いあざが残っていた。

「昨日の夜、うちの人にやられちゃった。理由はなんだか思いだせないくらいつまらないことだったと思うんだけど。みんながきてくれる日だったのに、こんな顔でごめんなさいね」

ぼくたちはしたをむいてしまった。まっすぐに玲美さんの顔を見られない。それに気づいたのだろう。彼女はサングラスをとると、再び顔にもどした。

「さあ、こんなことは忘れて、たのしい話をしよう。ジュンくんはぜんぜんダメだというけど、みんなのクラスにはかわいい子いないの」

ダイもナオトもぼくも、それから必死でたのしい話をした。それはなにを話したのか覚えていられないほど必死なたのしい話だった。あいだが空かないようにつぎつぎと話題をつなげる。そのあいだジュンはまったく表情を変えずに、空中の一点を見つめていた。

玲美さんの部屋にいたのは一時間ほどだったと思う。あんなに長い一時間は歯医者の診察室にだってめったにないだろう。まだ話があるというジュンを残して、ぼくたちはがっくりと疲れてスカイライトタワーを離れた。外は雨で湿度は百パーセントだったけれど、傘のしたの空気でさえあの部屋のなかよりはずっと爽《さわ》やかだった。

ちょっと話があるとジュンがいったのは、同じ週の土曜日だった。ぼくたち四人は区民センターの一階ロビーに集まった。全員がそろうと、ジュンは静かにいう。

「玲美さんとぼくのことが、ダンナにばれた」

ぼくは思わず叫んでいた。

「なんだって」

老人の何人かが、ぼくたちのほうを非難がましく見たが、ぼくは気にしなかった。

ジュンは冷静だ。ゆっくりと時間をかけて、メガネの位置を正した。

「静かにしてくれ。でも半分はぼくが自分からばらしたようなもんだ」

ダイは目を丸くしている。声を殺していった。

「なんでだよ。このまま玲美さんとつきあっていくつもりじゃなかったのか」

「そうだけど、我慢できなくなった。だからわざとダンナがいる時間に電話したり、メールを送ったりした」

ナオトは心配そうにいう。

「それでダンナのほうはなんだって」

　ジュンは強情そうににっこりと笑った。

「明日、部屋にこいって。それでみんなに頼みがあるんだ」

　なんだか嫌な予感がしたが、思わずぼくはいった。

「いいよ。なんでもやる」

　ジュンは三人の顔を順番に見た。

「ダイとテツローで、つきそってもらえないか。ぼくはちゃんと話しにいくつもりだ。ナオトは同じマンションに住んでるから、なにかとまずいことになると困るだろう。だから、したのロビーで待っていてくれ。なにかあったらすぐに電話するから連絡要員だ。いいかな」

　ナオトは不満そうだったが黙ってうなずいた。ダイが胸をたたく。

「まかせておけよ。どんなやつだか知らないけど、おれがジュンには手をださせないからな」

　ジュンは首を横に振った。

「そういう意味できてもらうわけじゃない。その場の証人になってもらいたいんだ。ぼくと玲美さんとダンナじゃ、関係者ばかりだろ。誰か第三者がいたほうがきちんと話ができると思うんだ」

それから日曜日の打ちあわせをいくつか済ませ、ぼくたちは区民センターで解散した。雨は降り続き、ぼくの気分もすっかり沈んでいた。十四歳にしてはじめて、友人の不倫?の仲裁に立ちあうのだ。しかも相手は、どこかの一流商社に勤める家庭内暴力男だという。NHKの「中学生日記」みたいに爽やかになんてなれるはずがなかった。

翌日は曇り空だったが、雨は降っていなかった。ジュンとダイとぼくはぴったり午後二時に3908号室のインターホンを押した。男がドアをあけてくれた。白いポロシャツを着た小柄な男で、とても暴力を振るうようには見えなかった。目がぎょろりとおおきく、えらが張っているから、どことなく半魚人のイメージがある。ダイは身長が百八十センチ、体重も百キロを超えている。

玲美さんのダンナはダイを見ると顔を険しくした。挨拶もせずにいった。

「立会いならひとりいれば十分だろう。そっちのでかいのは外にいてくれ」

金属的な響きのある意外と高い声だった。ダイがなにか返事をしようとしたら、ジュンが先にいった。

「わかった。ダイ、悪いけどしたで待っていてくれないか」

ジュンに静かな目で見つめられたら、ダイも逆らうわけにはいかなかった。

「なにかあったら、すぐに携帯に電話してくれよ」

ダイはそういって玄関の外にでた。

「あがりなさい」

男はぼくたちのことを振りむきもせずに奥に消えてしまう。ぼくたちはスニーカーを脱ぎ、短い廊下をリビングダイニングにむかった。テーブルでは玲美さんがちいさくなっていた。男は窓ぎわに立ち、背中越しにいった。

「月島中学の生徒だそうだな。最近の中学はなにを教えているんだか、中学二年生で不倫サイトにはまるとはな。ふたりともそこに座りなさい」

ジュンとぼくは部屋の中央で立っていた。ジュンがはじめて口を開いた。

「嫌です。ここに立っています。その不倫サイトには、あなたの奥さんもはまっていた。そんなふうに追いつめたのはそっちじゃないですか」

エアコンの唸《うな》りが静かにきこえる部屋のなかで、ジュンの声は澄んでよくとおった。

男はその場でさっと振りむいた。

「なにいってるんだ。こっちは亭主で、きみはおれのもちものに手をだした。おれはきみの親に慰謝料の請求だってできるんだぞ」

ジュンはまったくひるんでいないようだった。胸を張り、手を腹のまえで組んで立っている。いくら商社マンでも、ジュンと理屈で闘うのはたいへんだろう。今日のジュンは覚悟を決めてきている。

「やりたければ、どうぞ。そうなったら、法廷であなたが玲美さんに暴力を振るっていたことを詳しく話します。ぼくは玲美さんが好きだったけれど、玲美さんは怖くて誰か相談できる相手がほしかっただけだ。誰も中学生が不倫をするなんて思いませんよ。ぼくたちは手だってにぎってはいない。恥をかくのはそっちだ」

「なにいってんだ……」

男は急に叫びだした。そのあとはキエーとかシュエーとか、ヤカンが沸騰《ふっとう》するときのような意味のわからない音を漏らす。口の端に白い泡がたまっていた。窓を離れて、まっすぐジュンにむかってきた。Tシャツの胸倉をつかむと、思い切り前後に揺さぶった。ジュンはされるがままで正面をにらんでいった。

「ぼくはあなたを認めない」

「貴様!」

男は振りあげた右のこぶしでジュンの頬骨をなぐった。硬いもの同士がぶつかる鈍い音がした。ジュンはかばいもせずに胸を張って立っている。ぼくに目配せした。なにがあっても手をださない、守りもしないと、ジュンには約束させられていたのだ。だが、ぼくのなかでは恐怖と怒りが半々になって荒れ狂っていた。熱い渦が出口を求めて、身体《からだ》のなかを駆けめぐっている。

「誰かをなぐるたびに、あなたは大切な人間をなくしていく。ぼくはあなたを認めない」

ジュンは胸を張ってそういった。左の頬は赤く腫《は》れている。

「畜生！」

男は荒い息をして、ジュンの胸を両手で思い切りついた。ジュンは二、三歩よろめいて後退したが、すぐ元の場所にもどり、昂然《こうぜん》と胸をそらした。

「ふざけやがって……」

男はジュンの胃のあたりを狙《ねら》って、また右のこぶしをつきだした。ジュンは腹を押さえて身体をくの字に曲げたが、元の姿勢にもどった。

「いくらなぐっても、あなたには人の心を折ることはできない」

三発目だとぼくは心のなかで数えていた。もしつぎにこの男がジュンに手をだしたら、約束を破ってでもジュンをかばおう。すこしだけ腰を落として、飛びかかる準備をする。男の声は興奮でかすれているようだった。

「折れないかどうか、試してやろうじゃないか」

男はジュンの右腕をねじりあげようと手をかけた。ぼくが男に体あたりしようとしたとき、玲美さんがテーブルを飛び離れてリビングの壁へ駆けた。

「やめて。もうそれ以上やらないで」

玲美さんは震えながら、壁のインターホンに手を伸ばしている。男は冷たくいった。

「なにやってんだ、玲美」

「もうやめてください。わたしもあなたを認めない」

「ふざけるな。こんなガキの口まねしやがって」

男はジュンの右腕をさらにねじった。ジュンは唇をかんで、悲鳴を漏らさないようにしている。玲美さんはインターホンのとなりにある赤いスイッチを押した。部屋中を電子の警報音が満たした。外の廊下でもその音は鳴り響いている。高層ビル全体が警報に揺れているようだった。インターホンからはがちゃがちゃと音がして、焦《あせ》った声がきこえてきた。

「こちら管理事務所、なにかありましたか。だいじょうぶですか」

玲美さんは壁にむかって叫んだ。

「間違ってボタンを押してしまいました。警報をとめてください」

数秒後に頭の内側で鳴り響いていたように思えるベルの音が突然やんだ。急な静けさに耳がおかしくなりそうだ。だが玲美さんの人さし指は赤いボタンのうえにのせられたままだった。

「あなたがまだジュンくんに暴力を振るうなら、わたしはもう一度このボタンを押します。今度はガードマンの人にきてもらうわ。もうやめてください」

男はジュンの腕を放した。急に涙声になっている。

「待ってくれ、もうなぐったりしない。きみが大切だったから、この少年にあたってしまったんだ。すまなかった、もうなぐったりしないから」

玲美さんの声は逆に晴々していた。

「だめよ。今ようやくわかった。わたしはあなたを愛していたから、いっしょにいたんじゃない。恐れていたから離れられなかった。でも、もうわたしはあなたを認めない。テツローくん、このボタンを代わって。十五分だけ待っていてちょうだい。荷造りをするから」

ぼくは玲美さんに代わって、コントロールパネルの番をした。男は最初の五分間、玲美さんのあとをついてまわり、泣き落としで思いとどまるようにいった。つぎの五分間はにぎったこぶしで自分の胸や頭をたたいていた。こいつが悪い、こいつが悪い、そう繰り返している。自分で自分の骨を打つ音をぼくは忘れないだろう。そして最後の五分間はふぬけたように灰色の窓のまえに座り、ぼんやりとしていた。

ふたつのカバンに化粧品や着替えをつめると、玲美さんは男の背中にさよならといった。

ぼくとジュンはさっさとその部屋をでた。地上におりるエレベーターのなかで、玲美さんは興奮しているようだった。

「七年間できなかったことが、今日はたった三十分でできた。人間てやればできるのね」

ジュンは切れた唇をなめて、ぼくに笑いかけた。

「ほんと。ぼくは誰かになぐられたのは生まれてはじめてだった。最初はびっくりしたけど、ぜんぜん痛くはなかったよ」

玲美さんはジュンを抱き締めた。まんざらでもなさそうな顔をしてジュンは抱かれていたが、自分から腕をまわすことはしなかった。

ロビーではダイとナオトが待っていた。ナオトはジュンの顔の傷を見て、心配そうにいう。

「だいじょうぶ、ずいぶんやられちゃったね」

ダイがいった。

「ジュンがそれくらいやられたなら、あのダンナはどうなっちゃったんだ」

ジュンは唇が痛そうだったが、笑って返事をした。

「身体は無傷だけど、ここはこっちよりもひどくやられちゃってるかもね」

ジュンは細い指先で自分の胸をさした。それからぼくたちは四人で、玲美さんを有楽町線の月島駅まで送っていった。実家のある氷川台に帰り、これからのことをじっくりと考えてみるそうだ。駅まえのコンビニで缶コーヒーを買って、ぼくたちは祝杯をあげた。ナオトは何度も何度も、ジュンがダンナに立ちむかっていったときの話をききたがった。夕方になって雨雲が切れると、カーテンのような光りが一瞬埋立地のうえを走り抜けた。

ぼくたちは月曜日、学校での再会を約束して別れた。つぎの日必ず会うに決まってる友人とさよならをするのは、ちょっとセンチメンタルで悪くないものだ。

そのあとの話をきいたのは、夏休みにはいってからだった。プールの帰り道、区民センターの一階でだらだらしながら、ぼくたちはジュンの話をきいた。

「玲美さんはあのダンナと離婚するみたいだよ。調停は全部弁護士にまかせて、絶対に顔をあわせるつもりはないんだって。あの日、ただやられているぼくを見て、自分がいつもどんなふうに扱われているのかはじめて気づいたってメールに書いてあった。怖がらずに立ちむかえば、あんな男はたいしたことないってさ」

ソファから身体を起こしてダイがいった。

「障害のなくなったふたりはうまくいってるのかよ」

ジュンは残念そうに首を横に振る。

「やっぱり二十歳の年の差はむずかしいみたいだ。かわいいボーイフレンドには思えても、男を感じることはないんだって」

だが不思議なことにジュンの声にはどこか満足そうな響きがあった。ナオトもそれに気づいたようだ。ジュンの肩をこづいていった。

「それでさ、どこまでいったの」

ジュンはきれいに傷の治った口を開いた。

「ディープなAまで。知ってるかい。人妻の唇ってすごくやわらかくて、舌がよく動くんだよ」

ダイはクソーといって自分の胸をかきむしり、ナオトは顔を赤くした。ぼくの反応はどちらかといえばダイのほうに近かった。だからその日の帰り道、コンビニのジュース代をすべてジュンが払ったのは当然なのだ。

大華火の夜に

プールからあがったばかりだと、肌のセンサーが冷たい水でいかれているんだろうか。三十五度の熱気も、どこか北国の夏の暑さだった。ぼくたちは無漂白のセーターを素肌に着たように、白い開襟《かいきん》シャツを肌にちりちり感じながら月島中学の校門をでた。まだ正午まえだけど、太陽は空のまんなかにある。アスファルトの道には、ちいさいが硬くて濃い影が落ちていた。ジュンとダイとナオトとぼくの四つ分。影が道路で焦《こ》げる音がきこえそうだ。一番太った影がタオルで汗を拭《ふ》きながらいった。

「早くサンクスまでいこうぜ。おれ、もう溶けちゃうよ」

「ダイはスノーマンといっしょだな。半日ひなたにおいとけば、体重が半分になるんだからさ」

ジュンがひやかす。いつものデブネタのかけあいマンザイだった。誰もダイの提案に反対意見はいわなかった。身体《からだ》は冷えているからのどのかわきは感じないけれど、プールあがりにのむ清涼飲料水は、歯の芯《しん》までしみるくらい甘かったからだ。

ぼくたちは朝汐運河をわたり、清澄《きよすみ》通りにむかった。エスカレーターのあるほうの月島駅の出口に、まだ新しいコンビニがあるのだ。ソフトクリームとかき氷がうまくて、大通りぎわなので、幅の広い歩道と木かげが店のまえにあって、ぼくたちのいつものたまり場になっていた。貧弱なケヤキの木のしたで歩道にじかに座り、冷たいものをのみながら、都心のほうから隅田川をわたってくる熱風に全身を吹かれる。あとはどこかの私立中学の制服を着た美少女がとおりすぎるか、ジュンの切れのいい冗談でもあれば、夏休みの午後はパーフェクトだった。

立ち読みで混雑する店内で思いおもいの品を買い、ケヤキを囲むように腰をおろした。ぼくは視線だけナオトの手元に走らせていった。

「いいのか、そんなののんじゃって」

ナオトはダイエットコークの代わりに、禁止されている普通のコカ・コーラをもっていた。それも〇・五リットルのペットボトルだ。若年性の糖尿病にかかってるナオトには禁止されてるドリンクだった。ナオトは通りのほうに顔をそむけていう。

「いいよ。プールのあとのコーラだけはやめらんない。アフタヌーンティーのケーキをたべないようにする」

はっきりいってナオトの家は金もちだ。住まいは佃島《つくだじま》の上空約百メートル、超高層超高級マンションにある。遊びにいくと午後には、きれいなお母さんがミルクティーをいれてくれる。ダイがいった。

「なんだそりゃ。おれんちじゃ、いつも三時のおやつは徳用袋の揚げせんべいだぞ」

「あの欠けてるやつな。あれけっこううまいよな。割れた端っこのところにも醤油《しょうゆ》が染《し》みてて。どうせ、ダイは英国式の午後のティータイムなんて関係ないだろ」

ジュンがメガネの奥の目をまぶしさに細めてまぜ返した。まぶしくないときだって、クールな目はいつも変わらない。ダイはジュンを無視して、一リットルボトルを垂直に立て、キリンレモンをのどに流しこんでいる。下水パイプを掃除しているような勢いだった。ナオトがいった。

「ぼくの病気より、あさっての話をしようよ」

口をぬぐって、ダイがうなずいた。

「ほんと、一年なんて早いよな。また大華火がくるのか。去年、中坊《ちゅうぼう》になったと思ったら、もう二年だもんな」

ジュンとぼくは顔を見あわせた。八月の第二土曜日は、すぐそばの晴海《はるみ》埠《ふ》頭《とう》で東京湾大華火祭がある。ぼくたちの夏休み前半のクライマックスで、東京の半分の人間が集まる華火大会だ。レインボーブリッジを背にして、スターマインや尺玉が八十分間休みなくはじける豪華な音と光りのショーだった。

「今年はあそこの特等席、まだつかえるかな。最近誰かいってみたやつはいないか」

ジュンが全員の顔を見てそういったが、返事はなかった。ダイがいう。

「今日の夕方、涼しくなってから、ちょっといってみるか。テツローとジュンはだいじょうぶだろう。ナオト、おまえどうする」

ひどく疲れやすいナオトのことを心配しているのだ。

「それなら今日は早めに昼寝するから、いくまえに携帯に電話してよ。ワン切りでいいから。そうしたら、したにおりるよ」

「ガッチャ」

ダイはテレビ局がキャンペーンでつかっているキャッチフレーズのまねをした。時間はそろそろ昼の十二時だった。それぞれの家で、昼ごはんの準備ができているはずだ。ここにいる四人の誰ひとり同じ昼食をとることはないのだと思うと不思議な気がした。日本中の家族はみな別々の昼ごはんをたべている。数千万という天文学的な種類のお昼ごはん。

ぼくたちは立ちあがると、制服のズボンの尻《しり》をはたいた。ペットボトル専用のごみ箱に空き容器を捨て、交差点にむかってぶらぶら歩いていく。

「あれなにかな」

ぼくはそういって、交差点の角に立つ電柱を指さした。コンクリートの電柱には凸凹のついたステンレスが巻かれていて、土ぼこりで汚れたそのうえに白い紙が貼《は》ってあった。ぱりぱりに乾燥しているようで、右下の角がはがれて風にめくれ返っている。ジュンとぼくは電柱のポスターに近づいていった。A４サイズのコピー用紙にあいだをおいて書かれた内容に目を走らせる。

尋ね人　赤坂一真（アカサカ　カズマ・六十二歳）
●身長・体重　百七十センチ弱・五十二キロ
●失踪時の服装　ストライプのパジャマのうえに白いバスローブを着用、サンダル履き
●一昨日、築地の国立がんセンターまえからタクシーに乗車、月島駅付近での降車が確認されています。重篤《じゅうとく》な症状のため治療を施さなければ、数日中にもたいへん危険な状態に陥《おちい》りかねません。心あたりのあるかたは、下記の電話番号まで至急ご連絡ください。二十四時間いつでも結構です。

最後に携帯の電話番号が二本分、太いマジックで書かれていた。尋ね人とあるしたには、ベッドに上半身を起こした男性の写真が見えた。病室で撮ったカラープリントを張りつけ、そのままコピー機にかけたようだ。へたくそなマンガみたいに真っ白な光りか真っ黒な影しかない写真だった。窓を背にした顔は、ほとんど潰《つぶ》れて表情がわからなかった。ひよこの産毛《うぶげ》みたいな短い髪の毛が、つるつるの頭を後光のようにぼんやりとりまいている。ジュンがいった。

「あーあ、やっちゃったな。今ごろ、いたずら電話で回線パンクしてるぞ」

真剣にポスターを見つめていたナオトが、振り返ると強い声でいった。

「ぼくはみんなより病院のことはよく知ってる。あそこは自殺したり、逃げちゃったりする患者が多いんだ。この人の気もちもわかる気がする。病院のコンクリートの箱のなかじゃなく、どこか自分の好きなところでおしまいにしたかったんだろうな」

逃亡した患者はもう死んでしまっているような台詞《せりふ》だった。ちょっと空気が真剣になりすぎたみたいだ。ダイがガムをかみながらいった。

「そうだな。夏だし、やっぱりアウトドアのほうが気もちいいもんな」

ジュンがそっけなく返す。

「大華火もすぐだしな。パーッと咲いて、パッと消える」

誰かが真剣になると、こんなふうに「マジすぎるのはカッコ悪い」回路が働いて話の調子はいつものバランスをとりもどすのだった。流されかけたナオトへの冗談の形をした救命ボートだ。

ぼくたちは青信号でだらだらと清澄通りをわたると、肩の高さまで手をあげて、黙ったまま別れた。きちんと手をあげてさよならの挨拶《あいさつ》をするには暑すぎたし、どうせ夕方にはまた顔をあわせるのだ。日に灼《や》けていない手のひらの白が一瞬見えて、だるそうに曲がった背中がそれぞれ家の方向へ消えていく。

誰も疲れてなどいないけれど、疲れた振りがなんとなく気分なのだ。

五時すこしまえに、ぼくの携帯が鳴った。隅田川の堤防のかげにあるうちのマンションの駐輪場から、マウンテンバイクをひっぱりだす。ゲートにはジュンのマウンテンバイクとダイのママチャリが待っていた。夕方になっても気温は軽く三十度を超えているようだった。日ざしの角度が変わっただけで、吹く風も暑さもま昼のようだ。

「ナオトのやつ、こんな陽気でだいじょうぶかな」

ダイは足を百三十度に開いて、ぎりぎりにさげたサドルに座っている。

「だいじょぶだろう。あまり身体のことで気をつかわないほうがいいよ」

ぼくは短パンのポケットから携帯電話を抜いて、ナオトの短縮を押した。着信音ひとつ残してすぐに切る。

「いこう。晩ごはんまであまり時間がない」

ぼくたちは自動車がたまにしかとおらない川沿いの道を横にならんで走った。高架線をくぐって月島から佃にはいると町の様子が急に時代劇っぽくなる。何百年も続いている佃煮屋《つくだに》のビニールシートくらいあるおおきなのれん、住吉神社の鳥居と控えめな本殿、よどんだ掘割につながれた屋形船がたくさん。黒い水にはにきびのように盛大に空気の粒があがっている。よくテレビのロケ隊が、東京のなかの江戸を撮りにくるところだ。

佃公園の坂をのぼり桜並木のトンネルをくぐると、高層マンションがそびえる高級住宅地になる。歩道の敷石やガードレールまできちんとデザインされた、静かですました町だ。ぼくたちはスカイライトタワーの一階にある高そうなファミレスのまえでナオトを待った。ナオトはぼくと同じトレックのマウンテンバイクにのって、四十階のガラス屋根から光りが注ぐエントランスを抜けてくる。同じメーカーといっても、ナオトのはフレームと車輪はカーボン繊維でできてるし、前後輪ともにディスクブレーキがついている、軽自動車くらいの値段はする競技用だ。ガラスの自動ドアがゆっくりと左右に割れて、ナオトの細い声がした。

「待った？」

この暑さなのに長袖《そで》のウインドブレーカーとつば広の帽子をかぶっている。へんてこな服装だった。みな無言で首を横に振る。黙ったまま清澄通り目指して走り始めた。

「こんなキャディみたいな格好、嫌だっていったんだけど」

まだ気にしているみたいだ。先頭のジュンが後輪のギアをあげていった。

「いいよ。紫外線は毒なんだろ。ナオトはプールだってTシャツ着てはいってるじゃん」

ぼくたちは通りの日かげ側を選んで走った。ようやく大江戸線の工事が終わり、清澄通りは以前の静かさを取りもどしている。両側に並ぶのは銀座のようなおしゃれなショップではなく、酒屋や床屋や古本屋など昔ながらの商店だった。もんじゃ焼きの鉄板みたいなアスファルトであぶられた風が、幅四、五メートルはある広い歩道を一列になって走るぼくたちのあいだを抜けていく。体温より熱い風だ。ダイがいった。

「クソー、暑いな」

ジュンがペダルを勢いよく踏みこんでスピードをあげた。

「死ぬほど暑いけど、死ぬほど気もちいい。このまま道が千キロくらい続いているといいよな」

つば広帽の影からナオトがいった。

「ホント。こうしてると学校も病気も夢みたいに感じる。全部が嘘《うそ》で今、風のなかを走ってることだけがほんとうみたいだ」

このまえ父にすすめられて読んだ本を思いだした。我自転車を漕《こ》ぐ、故《ゆえ》に我有り。本当のことは、なんでもない単純な気もちよさのなかにあるんじゃないかな。デカルトという人の本だって、ものすごく簡単に書いてあった。

ぼくたちの目的地は、清澄通りの突端にあった。距離にして二・五キロくらい。月島橋をわたり、勝どきの警察署をすぎて、埋立地の端っこにつきでた水産埠頭《ふとう》のそばだ。東京湾大華火祭は晴海埠頭沖で開催されるけど、あまりに見物客が多くて晴海の本会場には入場整理券がないとはいれない。帰り道はとても自転車で走れるような状態ではなくなる。歩道は人と露店が、車道は整理のパイロンと自動車で、地面が見えなくなるからだ。そこでぼくたちはいつも、朝汐運河をはさんだ豊海《とよみ》町から見物することにしていた。そこからなら四、五百メートルしか離れていないし、華火は十分なおおきさで見える。海に映るスターマインは、暗い海面に光りの滝が上下から勢いよく注ぐようで、格別な見物だった。

冷蔵倉庫が立ち並ぶ淋《さび》しい街の一角に、去年ジュンがとっておきの特等席を見つけていたのだ。

「変わってないな」

ジュンはビニールの皮膜がはがれて錆《さび》の浮いた金網に手をかけた。むこう側にはセイタカアワダチソウが背の高さほどに繁《しげ》る工場の敷地が広がっている。

「あの穴、どこだったっけ」

ダイが周囲を見わたしている。おおきな弧を描いて倉庫にはいっていく冷凍トレーラー以外、この街を歩いている人間などほとんどいなかった。

「だいじょうぶだ。去年、印をつけておいた」

ジュンが金網沿いに歩きだした。自転車はすこし離れたところに四台をチェーンでつないでおいてある。ぼくたちもあとについていった。しばらくすると金網の中央に表面が曇った南京錠《なんきん》がさがっていた。

「ここだ」

ジュンは道の左右をチェックしてから、足元の草をスニーカーで払った。雑草の葉先で隠れて見えなくなっているが、そこだけ金網のしたの地面がえぐったようにへこんでいるのだ。

「いってみるか」

そういうとジュンはしゃがみこみ、草の葉に潜るように金網をくぐった。続いてダイがいこうとする。ジュンはむこう側でしゃがんだままいった。

「ダイは遅いから最後にしろよ。まだ昼間で人がくるかもしれない」

そこでぼくがつぎの番になった。地面に顔を近づけると、草のにおいで肺のなかまで濡《ぬ》れそうだった。息をとめて、金網のしたをくぐる。一瞬でも早くしようと、もがくように緑のカーテンのむこうに顔をだす。ジュンが笑っていた。

「顔を水につけるのが恐いガキみたいだな」

なんといわれてもかまわない。実際、ぼくはちょっとブルっていた。SF映画なんかでよくある異次元の扉をくぐるような気分だった。上半身が抜けるとさっさと足を引きだす。フェンスのしたを潜るのは、ひんやりと嫌な後味がした。つば広帽をジーンズの腹に押しこんだナオトとダイが続いた。ジュンが先頭に立って、今度はセイタカアワダチソウのジャングルをかきわけ、前進を始めた。

そこはおおきな工場の裏側の敷地だった。金網沿いの緑を抜けると、なんにつかうのかわからない鋼材や金属クズがはいったドラム缶が積まれていた。足元の砂利は機械油で黒く濡れ、苔《こけ》がついたように土ぼこりにくるまれている。ぼくたちは工場のがらんどうの建物に近づいていった。

「うちの父ちゃんのいうとおり、世のなか不景気なんだな」

洗ったばかりのように汗がつたう顔を、ダイがタオルで拭《ふ》いた。確かに遠くでなにか機械仕事をする音がするけれど、とても活気があるとはいえない工場だった。放りだされた資材にも、どこか投げやりな雰囲気がある。

「おれたちには、不景気はラッキーだな」

そういってジュンはコンクリートの壁面の横にある腰ほどの高さのフェンスを軽々と越え、非常階段にはいった。音もなく三人が続く。この階段を普通の家の高さで三階分くらいのぼったところに、ぼくたちの大華火見物のS席があるのだ。ダイが目をぐりぐりと動かし全員の顔を確認してささやいた。

「誰が最初に踊り場につくか、帰りのコーラかけないか。一位はのみたい放題」

ぼくたちは無言で叫びをあげると、たがいに相手を押しのけるように非常階段を駆けあがった。

そんなとき実はぼくが一番早かったりするのだ。ダイは体重が重すぎ、ジュンは小柄でストライドが短い、ナオトは筋力が足りない。だいたいどの項目も平均的なぼくの出番なのだった。両腕をつきあげ、ロッキーのポーズで最後の階段を二段飛ばしであがるぼくの目に、白いコンビニの袋がふたつ飛びこんできた。踊り場の隅においてあるま新しいポリ袋だった。まずい、人の気配がする。全身に鳥肌が立った。非常階段の途中で急停止したぼくの背中にジュンがぶつかってきた。

「なにやってんだよ。うしろがつまってんだぞ」

それからジュンも気配に気づいたようだ。黙って肩越しに踊り場を見ている。ダイとナオトが息をきらせて追いついた。踊り場の死角から、かすれた声がした。

「きみたちはこの工場の人間ではないな」

きき慣れた誰かを叱《しか》る声ではなかった。その声には力強さも責める様子もなく、どうでもいいという開き直った調子があった。ぼくはうしろを振りむいた。ダイとナオトはいつでも駆けおりられるように身体のむきを変えている。目があうとジュンはゆっくりとうなずき返した。ぼくは音を立てずに、階段をもう一段のぼった。さらにもう一段のぼり、踊り場の床の高さから顔をだす。六畳ほどある広い空間が一気に開けた。油染《じ》みの浮いたコンクリートの床の端には、なにか工作機械の梱包《こんぽう》にでもつかわれていたような薄手の発泡スチロールが、ひざほどの高さに重ねられていた。去年はマット代わりに床に敷きつめて寝転がりながら、華火を見たのだ。

そのマットに白いガウンを羽織ったやせた男の人が横になっていた。大儀そうに首だけ起こして、こちらを見ている。目があった瞬間に、あのポスターの人だとわかった。病院から逃げだした末期の患者だ。その人は頭を落とすと、ほっとしたようにいった。

「いたずら小僧か……私はここでちょっと休んでいるんだ。むこうにいって、静かにしておいてくれないか」

一番したの階段から、ナオトがいった。

「あの、アカサカさんですよね。家族の人が心配して、町中の電信柱にポスターが貼《は》ってあります。病院から抜けだしちゃったんでしょう」

サンダル履きのやせたくるぶしが震えて、アカサカさんが上半身を起こした。プールあがりに目薬をさしたような涙目が、驚きに見開かれている。

「みんな知ってるのか」

先頭のぼくが代表してうなずいた。

「余計なお世話かもしれませんが、病院に帰ったほうがいいんじゃありませんか」

アカサカさんはしばらく黙って、ぼくたちをじっと見つめていた。それは不思議な目だった。ぼくたちをとおり越して、夏の夕暮れの空や東京湾の鈍い海面を見ているようでもあり、ぐるりと反転して自分自身の頭のなかをのぞいているようでもあった。ぼくは急に自分が電線やコンクリートの階段やコンビニの袋にでもなった気がした。人間ではなく、その場を構成するただの物体になったような気分だ。

アカサカさんはガウンの胸ポケットに手をいれた。

「わたしの先は見えている。医者の治療は気休めにふるう暴力と変わらないし、息子たちは廊下で声を殺してののしりあっている。あそこはわたしが帰る家ではない」

つらそうでもない声で、淡々とそういった。それから、アカサカさんはかすかに笑う。

「どうだ、わたしと取り引きしないか」

ポケットからエンジ色の革の財布を抜いた。

「金なら最後だと思ってたっぷりとおろしてきた」

アカサカさんの枯れた指先が開いた財布を探っていた。ゆっくりと数えて抜きだすと、四枚の一万円札を目のまえにかかげて見せる。

「きみたちがわたしのことを誰にもいわずにいてくれたら、これをやろう……そうだな、必要なものを買いにいってくれるなら、また別にこづかいをやってもいい。どうだ、どうせわたしは長いことないんだ。病人の最後の望みをかなえるアルバイトでもしないか」

ぼくはうしろを振りむいた。四人のあいだで不安な視線がいききする。ジュンが声を張った。

「ちょっと待っていてください。したで話しあってきます」

ぼくたちは一階分ほどおりて、ばらばらに階段の途中に座った。ナオトがちいさな声でいった。

「死にそうな病人を見殺しにするバイトなんて、やばすぎるよ」

ダイが誰の顔も見ずに、ぼそりといった。

「だけど、一万円だぜ。がんばって働くんじゃなくて、黙ってるだけでもらえる。こいつはでかいぜ。それに、あのオッサンの望みもかなうしな」

確かにアルバイトのできない中学生に一万円は大金だった。ぼくのこづかいの二カ月分だ。ジュンがいった。

「金のことは、たぶんどっちに転んでも問題はないと思う」

ぼくはいった。

「どういう意味」

「あれだけ町中にポスターを貼るくらいなんだから、もしぼくたちがあの番号に電話して病人を見つけたといえば、謝礼くらいもらえるさ。もしかするとさっきよりもでかいかもな」

ダイが感心したようにいった。

「さすがにジュンだな。じゃあ、誰が電話する？」

そういうとストラップを二十個くらいつけた携帯電話をジーンズのポケットからジャラジャラと抜いた。ジュンがダイをとめた。

「そこからが問題になるんだ。どっちにしても金になるなら、それ以外の条件を考えなくちゃいけないだろ。ぼくは病院からパジャマで逃げるくらいだから、あの人にはよほどのことがあったと思う」

ぼくは黙りこんでいるナオトにきいてみた。

「ナオトはしょっちゅうひっくり返って入院してるから、病院のことはよくわかるだろう。あのなかで暮らすのってどんな感じなんだ」

つば広帽のしたで眉《まゆ》が険しくなった。

「みんなにはすすめないよ。あの人の気もちはよくわかる。それにぼくと違って、もう治る見こみもないみたいだし。要するに、ぼくたちが通報すれば家族の心配がなくなり、病院側も満足する。でも、あの人は残りすくない自由とひとりですごす時間を失う……ぼくには、どうすればいいかわからない」

狭い水路をはさんで東芝ビルがまぶしくそびえていた。ゆりかもめと首都高羽田線の高架が贅沢《ぜいたく》なおもちゃのようにどこまでも伸びている。海のむこうに広がる街は、なんのトラブルもない蜃気楼《しんきろう》のように美しい街に見えた。それともあそこにもアカサカさんのような人がいるのだろうか。死ぬまでひとりのほうがまだましだと決心するような人だ。ジュンが口を開いた。

「結局、人生ってのは大人のいうとおり、妥協の連続なんだろ。どっちのサイドもすこしずつ満足するようにしてやろう」

ぼくは笑っていないジュンの目をとらえていった。

「どうするんだ」

「大華火の夜まで、あの人は自由だ。だけど、死ぬまで放っておくわけにはいかない。祭りが終わったら、家族に連絡をいれよう。それで、どう？　うまくすれば謝礼の二重取りだってできるかもしれない。文句ないだろ、ダイ」

さすがだった。ぼくはすっかりジュンを見直した。面倒なトラブルにさっと線を引き、利害を調整して、あっさりとこたえをだす。ともかく頭がいいんだ。その割りには当人がいつも淋《さび》しい感じなのが気になるけれど。ナオトとダイが声をそろえた。

「ガッチャ」

それでぼくたちは、ゆっくりと雇い主が待っている踊り場にもどった。

「明後日にその……東京湾大華火祭があるのか」

アカサカさんは横になったままそういった。なにか話してくれといわれて、ぼくたちはこの秘密の踊り場を見つけたときの事情と大華火の夜の混雑を話した。ナオトとぼくは、発泡スチロールのマットの近くに座り、ジュンとダイは離れた手すりの壁に背をもたせかけていた。アカサカさんはときどき眠っているように見えたが、話の要所では目を開いて適当なあいづちを打った。ま新しい一万円札は、すでにぼくたち四人のポケットのなかに移動している。

対岸のビル群のうえはまだ明るく夕暮れの光りを残しているのに、空は海上のほうから夜の色に変わっていた。ぼくたちと話をして、アカサカさんはすこし疲れたようだった。ナオトが心配そうにいった。

「明日の午後にまた顔をだしますけど、なにか必要なものはありませんか。今、すぐに買いにいきますけど」

ペットボトルがのぞくコンビニの袋に目をやってアカサカさんはいった。

「いや。食欲はないし、飲料水は足りている。もうタバコも酒もほしいとは思わなくなった」

ジュンが恐るおそるきいた。

「あの……あの病気はひどく痛いってきいたことがあるんですけど、だいじょうぶなんですか」

病名はいわなかった。それはぼくも不思議に思っていたことだ。アカサカさんはひどくやせているけれど、痛みを我慢している感じではなかった。逆に表情にはぼんやりとだが、幸せそうな明るさがある。

「それなら心配いらない」

そういってアカサカさんはガウンの胸ポケットに手をおいた。

「病院でためておいた痛みどめがある。硫酸モルヒネの錠剤だ。一回千二百ミリグラム、一日に二度のめばわたしの場合痛みは消える。この薬がなければとてもきみたちと話などしていられない。すまんが、もうひとりにしてくれないか。今日はたのしかった。病気でも相続でもない話をきいたのは久しぶりだった」

ぼくたちは横になって目をつぶっているアカサカさんに軽く頭をさげて、踊り場をおりていった。

つぎの日も暑い一日だった。七月中の温度計がこわれたような気温ではないけれど、朝の九時すぎには真夏日になった。ぼくたちは昼ごはんをたべると、すぐに佃公園に集合した。清澄通り沿いのコンビニで、おにぎりや冷麺《れいめん》、アイスクリームやチョコレート、それに大人用の雑誌やのみものなどを大量に買いこみ、さびれた工場にむかう。なにせ、軍資金はいくらでもあるのだ。

アカサカさんは山盛りのポリ袋三つを見て、目だけで笑った。

「そんなにたくさんもらっても、無駄になるだけだ。きみたちでかたづけてくれよ」

実際に口にしたのは、ペットボトルのスポーツドリンクだけだった。昼ごはんのあとだったが、ぼくたちは腹が減っていた。中学生はいつだって腹は減っているのだ。清掃車が都のゴミ袋をのみこむように食料をたいらげていく。こんなときはダイの出番だった。ツナマヨネーズのおにぎりをほおばりながらコーラをのみ、キムチ冷麺と抹茶のハーゲンダッツを交互に口に放りこむ。ダイのまえにはたちまちラップと空容器の山ができた。アカサカさんはぼくたちがたべるのをたのしそうに見ていた。誰かががつがつとものをたべるのを見るのがたのしいなんて、おかしな話だ。ちょっと痛みどめが効きすぎているのかもしれない。

一時間半ほどしてぼくたちが帰ろうとすると、アカサカさんは憮然《ぶぜん》とした顔でいった。

「すまないが、誰かそのうえにある袋を、捨ててくれないか。どこか、公園のゴミ箱にでも」

「わかりました」

ナオトが真っ先に動いた。踊り場を数段のぼったところにおいてあるポリ袋をとりにいく。新聞紙にくるまれたちいさなメロンほどの固まりがいくつもはいっていた。ナオトが戻ってくると、かすかに夏の公衆便所のにおいがした。

「悪いな。きみには特別にごほうびをやらなくちゃいけないな」

ナオトは恥ずかしげに笑った。

「いいえ。お金はいいです。ぼくもよく入院するので、トイレはどうしてるのかなって心配してました。それより身体《からだ》の調子はどうですか」

「そちらは悪くない。なにもたべていないから、だんだん軽くなってきた。もうしばらくしたら、ふわふわと風に流されて……」

アカサカさんは踊り場の手すりのむこうに広がる空を視線で示した。

「……あの空に浮かんでいくような気がするな」

そういってかすかに笑って見せた。オゾン層がこわれて紫外線が多くなったせいだろうか、それとも亜熱帯みたいな気候のせいか、このごろの東京の夏空は南のリゾートのCFみたいなまざりけのない青さだ。ぼくはアカサカさんを見て、空を見た。なぜか、空の青さに涙がにじんで困った。だが、ぼくよりもナオトの反応はもっとストレートだった。黒い長袖《そで》Tシャツの胸に見る間に点々と涙を落としていう。

「そんなこといわないで、もっと……」

続きの言葉はぼくにもわかった。もっともっと、生きてください。そんなことをいってもどうにもならないことは、すぐにナオトにもわかったようだった。

「もっと……なにか必要なものはありませんか。なんでもいいです。なんでも用意しますから」

アカサカさんは首を起こすのに疲れてしまったようだ。スチロールに頭を落としていった。

「ありがとう。だが、もうほしいものはなにもなくなってしまった」

ダイがタオルでごしごしと顔をこすっていた。ジュンはメガネのしたで濡《ぬ》れたまつげを伏せている。紙オムツでいっぱいのポリ袋を戦利品のようにかかげるナオトを先頭に、ぼくたちは非常階段をおりていった。

大華火祭の日は朝目を覚ましたときから特別な気分だった。ぼくは遠足の朝でもしないことをしてしまった。七階にある部屋の窓から、隅田川のむこう銀座のビルのうえに広がる空模様を確かめたのだ。わずかに濁ってちいさな雲をあちこちに浮かべた空だった。夏の朝はきれいに晴れていると、午後から天気が崩れることが多い。この天気なら、間違いなく正午には、大華火にふさわしい快晴になるだろう。

プールの時間がない土曜日の一日、ぼくはなんだかそわそわと落ち着きなくすごした。一年間待っていた華火をたのしみに思う気もちと、アカサカさんの身体への心配がまぜこぜになって、心が一点にとどまっていないのだ。

江戸時代の航路灯を復元した佃公園のモニュメントのしたで、ぼくたち四人が集まったのは昼のように明るい午後五時だった。月島駅の周辺は浴衣《ゆかた》姿の女の子たちであふれ、佃大橋のうえでは早くも渋滞が始まっていた。町全体の様子がざわざわとにぎやかに弾んでいるようだった。ダイとジュンとぼくの三人は自転車の先をそろえて、隅田川の河口のほうを見ていた。川なんていうと静かに思えるだろうけど、東京の川はちょっと違う。普段でも十分に一回はエンジンの音をたてて船がいきかっているので、けっこううるさいのだ。華火大会のその日はプレジャーボートと屋形船で、水上でも交通整理が必要なほどだった。

遅れてきたナオトがぼくたちのうしろから声をかけてきた。

「お待たせ。でかけるまえに決めておこう。アカサカさんのこと、どうする」

ぼくたちはまた別なデザインのつば広帽をかぶったナオトを見た。ジュンがいった。

「今夜はいっしょに華火をたのしんでもらおう。夜中騒がしくて救急車も忙しそうだから、明日の朝一番にどこかの公衆電話から、ぼくが一一九番に通報する。それでいいだろ」

ダイがいった。

「あのポスターの家族には連絡しないんだ？」

「ああ、なんだかアカサカさんが嫌っている様子をきくと、直接話したくないよ。謝礼はもういいだろ」

ダイがうなずいていった。

「よっしゃ、わかった。そうと決まったら、せいぜいたのしくいこうぜ。一年に一回の大華火祭なんだ。暗い顔してたら、アカサカのおっさんにも悪いよ。なあ、ナオト、盛りあがっていこう。笑顔つくれよ、華火がしけちまうぞ」

それでナオトは目をごしごしとこすって、泣き笑いの表情になった。

ぼくたちは途中で寄り道をした。みんなアカサカさんにもらった金をつかい果たしてしまいたい気もちがどこかにあるようだった。早くも営業を始めた清澄通り沿いの露店で、もちきれないほどのものを買う。焼きそば、じゃがバタ、イカ焼き、お好み焼き、カルメ焼き、りんご飴《あめ》、綿飴、かき氷、ラムネにガラナジュース。なかには中古テレビゲームの露店もあった。ジュンは段ボール箱の横にしゃがみこむと、初代セガ・サターン用のクソゲーを一本三百円で山のように買いこんでいた。

前日よりもたくさんの手みやげをもって踊り場についたとき、すでに時刻は七時ちょっとまえになっていた。踊り場から見る空は暗く、晴海埠頭《ふとう》公園は突堤から見物客が海にこぼれそうになっている。先頭のダイが声を張った。

「こんばんは。いよいよ待ちに待った東京湾大華火祭が始まるよ。アカサカさん、なにかくいたいものない？」

ダイはマットの手まえにたくさんの駄菓子をならべた。アカサカさんはうれしげな表情だったが、はっきりとした笑顔をつくるのはつらいようだ。ナオトが心配そうにいった。

「だいじょうぶですか」

アカサカさんは踊り場のコンクリートの天井を見たまま、ぽつりといった。

「いよいよだな。あと数日という気がする」

首を横に振り、夏祭りの菓子を見た。

「ほう、懐《なつ》かしいな。そのカルメ焼きをくれないか。細かく割って」

ナオトはカルメ焼きに飛びつくと、端を砕《くだ》いてアカサカさんの口に運んだ。アカサカさんは目を閉じて、口のなかで焦《こ》げた砂糖のかけらを転がしている。

「甘いものだなあ。こんなに甘いとは、子どものころは気づかなかった。きみはよく入院するというから知っているだろうが……」

そういってアカサカさんは震えながら上半身を起こした。全身の力を振り絞っているようだった。すぐにナオトが背中を支える。

「最後にひとつ話しておきたい。よくドラマなんかで、最後のときを迎えてじたばたと見苦しいことをするが、あれは間違いだ。わたしはたくさんの病人を見てきたから、よく知っている」

ジュンがアカサカさんをじっと見つめていった。

「もしかして医者だったんですか」

アカサカさんは、今度ははっきりと笑った。

「そうだ。医者の不養生というやつだな。わたしがみとった患者の多くは、自分の死期を悟り、家族友人に感謝の気もちと別れを告げて、立派に旅立っていった。ほとんどは有名でも金もちでもない普通の人だった。わたしは自分にそんなことができるか、よく不安に思ったものだ。それがこんな形で自分の番がまわってきてしまった」

夜空に大輪の花が咲いて、あとから腹に響く音がくる。踊り場の隅まで一瞬明るく浮きあがり、暗やみがもどると地鳴りのような歓声が続いた。ぼくは華火に背をむけて、アカサカさんを見ていた。つぎつぎとあがる尺玉で、やせ細った顔が色とりどりに照らしだされる。

「きみたちに強がりをいってもしかたないが、わたしもなんとかみんなに続けそうだ。なるべく迷惑をかけずに、静かにひとりで終わりにしたい。最後にきみたちに会えて、こんな豪勢な華火も見物できた。感謝している。どうもありがとう」

お礼をいわれることなど、ぼくたちはなにもしていなかった。誰かにありがとうといわれて泣いたのは、ぼくは初めてだった。きっとジュンやダイやナオトも初めてだったに違いない。ぼくたちが涙をぬぐうあいだにも、夜空には光りの華が開いていた。パッと咲いたはなびらが、海風に流され淡い煙になって消えるとき、鮮やかな残像を残していく。その光りが目の裏に咲いているうちに、また新しい華火があがる。東京湾の夜空は、ずっと昼間のような明るさだった。

きっとこの世界も同じことなのだろう。どこかで誰かが消えて、その名残が響いているうちに、新しい人が生まれる。それでにぎやかで、ちょっとばかばかしいこの世界が続いていくのだ。ぼくたち五人は、それから黙って華火を見あげていた。普段はおしゃべりなぼくたちを黙らせる力が、一瞬咲いて消えるものにはあるようだった。

東京湾大華火祭が終わり、一時間ほどぼくたちは踊り場に残っていた。人波が静まるのを待つというのがいいわけで、実はアカサカさんから離れるのがなんだか不安だったのだ。それでも、アカサカさんがしんどそうに浅い呼吸をするようになった九時半すぎ、足音を殺して非常階段をおりていった。

工場裏の金網をまえにして、ナオトがちいさな声で叫んだ。ジーンズのポケットを探っている。

「やばい、携帯を忘れちゃったみたいだ。みんな自転車のところに先にいってて。とりにいってくる」

ほかの三人がなにもいわないうちに、ナオトは資材おき場のかげに走りこんでしまった。非常階段を駆けのぼる背中が見える。ぼくたちは金網のしたをくぐり、冷蔵倉庫街の裏道にでた。

ナオトが自転車をとめたガードレールにもどってきたのは、ほんの数分後だった。手には最新型のｉモードがのぞいている。

「あったよ」

ジュンがさりげなくいった。

「アカサカさんはだいじょぶだった」

「あたりまえじゃん。さっき会ったばかりなんだから」

意味ありげにうなずいて、ジュンはマウンテンバイクにまたがった。ぼくたちは大華火の余韻でまだ騒がしい夜を、月島にむかって漕《こ》ぎだした。


四人がまた集まったのはつぎの朝だった。朝ごはんを済ませた八時半には全員の顔が、月島駅まえのサンクスにそろった。近くにある公衆電話ボックスから、ジュンが救急車を呼ぶ手はずだったのだ。

ジュンは相手がでると、練習していたように冷静にいった。

「豊海町に大倉鉄工の工場があるんですが、その非常階段の踊り場に重症の患者がいます。すぐに救急車をお願いします」

相手に求められて、住所と工場名を繰り返すと、ジュンは受話器をおろした。これならここにいる四人の着信記録が残ることはないだろう。ジュンのやることにぬかりはなかった。ボックスをでると、みんなに声をかけた。

「さあ、救急車とおれたちの自転車の競走だ。アカサカさんに最後の挨拶《あいさつ》をしにいこうぜ」

ぼくたちは自転車に飛びのり、朝の清澄通りを駆けた。あんなに速く走ったことはないくらいだったけれど、なぜかじりじりと這《は》っているようなスピードに感じられて、ひどく胸が苦しかった。身体《からだ》よりもずっと速く心が目的地に着いてしまっていたせいかもしれない。

それでも救急車がやってくるまえに、ぼくたちは工場裏の通りに到着していた。五分後に青いつなぎの制服姿の救急隊員が三人、金網と雑草のむこうをとおりすぎるのが見えた。非常階段を担架をななめにしてあがっていく。踊り場について見えなくなった隊員が階段に戻ると、手すりから身をのりだして地面に待つ別な隊員に腕を交差させバツ印をつくった。おかしい、アカサカさんは夜のうちにいなくなったみたいだった。地面の隊員が無線に声を張りあげていた。

「病人のものらしき痕跡《こんせき》は残っているが、現場では誰も確認できず」

周囲ではやじ馬が集まり始めていた。ジュンが首を横に振っていった。

「ナオト、昨日、最後になんていったんだ」

ナオトは真っ赤な目をしていたが、泣いているのではないようだった。

「一晩中考えたけど、後悔はしていない。ぼくは最後に踊り場にもどって、明日の朝、救急車を呼ぶことになっているとアカサカさんにいった。やっぱり最後の場所くらい選ばせてあげたかったんだ。きっとこれでよかったんだよね」

誰も文句はいわなかった。おかげでその日は日が暮れるまで、豊海町と勝どきを自転車で探しまわることになったけれど、五リットルくらいの汗をかいたダイでさえ文句はひとこともいわなかった。

アカサカさんの遺体が見つかったのは、華火祭から二日後の月曜日だった。早朝ジョギングをしていたお年寄りが、豊海運動公園のはずれ、朝汐運河わきの深い植えこみのなかで、パジャマ姿で倒れている身元不詳の男性を発見し、月島署に通報したのだ。

警察にはすでに例のポスターにかんして、家族のほうから連絡がはいっていたので、遺体がアカサカさんだということはすぐに判明した。その日のうちに家族に引きとられ、いったん築地の病院にもどされたという。

上体を起こすのさえしんどそうだったあの身体で、アカサカさんがどうやって運動公園まで移動したのか、ぼくには想像もできない。あそこまでは直線距離で三百メートル以上もある。でも、あの踊り場でおしまいにしなかったのは、アカサカさんらしい気のつかいかただとも思うのだ。そんなことをすれば、工場に迷惑がかかるだろうし、あそこに残されていたコンビニのポリ袋なんかを見れば、誰かが手を貸していたことだってすぐにわかる。そうしたら、ぼくたちのことも厳しく追及されたかもしれない。

誰にも迷惑をかけずに、ひとりで好きな場所でおしまいにする。たいていの人は、立派に終わりのときを迎える。今ではアカサカさんの顔はよく思いだせないのだけれど、ぼくの心にはあの夜の華火のようにアカサカさんの言葉が残っている。

金網のしたに空いていた抜け穴は、救急車が帰ったあとで工場のガードマンによって埋められてしまった。だから、ぼくたちがこづかいを集めて買った花束は、あの南《なん》京《きん》錠のした、錆《さ》びた金網にもたせかけておくことしかできなかった。

白いひなぎくの束のしたには、日本橋水天宮の縁日で探してきたカルメ焼きをおいた。それはナオトが探しだし、ひとりで買いにいったものだ。

ぼくたちがセックスについて話すこと

「待って、待って」

校門からでようとしたところで声をかけられた。振りむくとうちのクラスの森本一哉《かずや》が駆けてくるところだった。マルチカラーのマフラーが夕暮れの光りのなか揺れている。子犬の尻尾《しっぽ》みたいだ。ダイがうんざりしたようにいった。

「あいつ、あんな女みたいな声だすから、おかしな噂《うわさ》たてられちゃうんだよな」

ぼくたちはいつものようにグループ四人で帰るところだった。ナオトとジュンはあまり関心なさそうに、ぶらぶらと朝汐《あさしお》運河にかかる橋にむかっていた。カズヤはどこのグループにも属していない。いつもぼんやりした笑顔で、目だけ妙にきらきらさせながらクラスでひとりきりだ。あと数歩というところで、速度を落とすとうわ目づかいでいった。

「あの、いっしょに帰ってもいいかな」

　ダイはそっぽをむいたが、ぼくはうなずいた。カズヤは安心したようにダイとぼくのあいだを一歩遅れてついてくる。中央が丸く盛りあがった朝汐橋のうえでジュンとナオトが待っていた。欄干から顔をだしてブルーブラックのインクみたいな水面を眺めている。そこには傘の直径が三十センチくらいある水クラゲといっしょに使用ずみのコンドームがなかよく浮かんでいた。どちらも透きとおるような乳白色だ。ダイはいう。

「こんなところに捨てるなんてさ、いったいどこでやったんだろうな」

　ジュンがだるそうにいった。

「はるか上流の隅田公園のベンチとか」

　顔をあげてリバーシティのほうを見た。清澄《きよすみ》通り沿いに整列した中層マンションのうえ、超高層ビルが淡い空をつらぬいている。ガラスの壁面に映る秋の夕空はほんものよりずっときれいだ。ナオトがいった。

「案外近いかもよ。佃大橋できのうの夜、発射したてだったりして」

　ダイはにやりとおおきく笑った。

「カーセックスか。いいなあ」

　ぼくも想像してみた。びゅんびゅんと時速八十キロくらいで後続車が追い越していく橋のうえで路肩に車をとめ、網タイツなんかをはいた大人の女の人とそういうことをするのだ。窓からは虫くいに明かりがついたリバーシティとそれをさかさまに揺らす隅田川が見えるだろう。すべてが終わってからパワーウインドウを指一本でさげて、暗い水面にコンドームを投げるのだ。こんなことくらいいつだってやってるって感じで。大人だ。ため息がでる。

「いいな、いつかやってみたいな」

ぼくはずっと黙ったままのカズヤに話を振った。

「カズヤはどう思う」

カズヤは書初《ぞ》め用の筆で書いたような黒々とした眉《まゆ》を八の字型にさげて困った顔をした。頬はテレビにでてくる青森のリンゴ園の子どもみたいな赤さだ。

「うーん、好きな人とだったら、いいかもしれない」

ダイがあきれていった。

「あのさ、今は好きとか嫌いとか関係ないの。カーセックスがしたいか、どうかって話なんだよ。おまえ、だいじょうぶか」

カズヤはさらに困った顔をした。眉の角度が急になり、頬の赤の面積が拡大する。

ダイは欄干にもたれたままカズヤの頭から足の先まで目をやった。

「だいたい、おまえ、そんな女みたいな格好してるから、ダメなんだよ」

うちの中学では秋が深まると夏のあいだはわからなかったセンスの差がはっきりとでてくる。紺か黒かベージュならコートの形は自由で、マフラーや手袋もそれほど奇抜な色や形でなければ、基本的には好きなものをつかってかまわないのだ。

「このコートいけてないかな」

そういってカズヤは自分の胸元を見おろした。そのときの格好は紺ブレの制服のうえに、黒いショート丈のトレンチコート姿だった。肩とウエストはあつらえたようにぴたりと締まって、細い身体《からだ》の線を強調している。マフラーはピンクが主になったGAPの女もののクレイジーストライプで、毛糸の手袋も同じ配色だ。控えめにいってカズヤの服装のセンスは、クラスの男子のなかでもトップクラスだった。ちょっとかわいすぎて女っぽいといえば、そのとおりなのだけど。

ちなみにナオトはフェザー百パーセントの十万円以上するモンクレールのダウンコート（グレイの毛皮で縁取りされたフードつき）、ジュンとぼくは色違いのダッフルコート（紺とベージュ）、ダイはユニクロのセールで買った二千九百円のポリエステルのカバーオール姿だ。

さすがのダイも頬を赤くして自分のつま先を見つめているカズヤにそれ以上突っこ

むことはできなかった。欄干を離れ、ポケットに手をいれ歩きだす。背中越しにいった。

「まあ、いいや、いこうぜ」

それでぼくたちもダイと同じようにつまらなそうに歩き始めた。だるいからだるい振りをするのか、だるい振りをするからだるくなるのか。そのあたりの中学生の心理というのは、なかなか複雑なのだ。

西仲通りのカラーブロックにはきれいに打ち水がしてあった。暗くなって始まるもんじゃ屋のかきいれどきにそなえて、どの店のまえも清掃がすんでいた。ぼくたちは車両通行どめになった狭い道のまんなかをゆっくりと歩いた。アーケードはほぼ六百メートルばかり続くのだけど、よその街ではなくなってしまったいろいろな店がまだなんとかがんばっている。毎日とおっても案外飽きることがない。

おばあちゃんむけの洋装店、サンダルばかり売ってる靴屋、実演販売しているせんべい屋にレバーカツ屋、金物屋とカラーボックスばかりの家具屋。どの商品もうっすらとほこりをかぶっているようなのが気になるけど、月島で暮らしているとたいていのものはこの商店街で間にあってしまう。

ちいさな歩幅で慎重にすすむカズヤの家も、そんななかの一軒だった。磨きあげられたピクチャーウインドウにはテイラー・モリモトとくすんだ金色の英文筆記体で書かれている。かなりの時代ものみたいで、なんだかガラスが波打つようにゆがんで見えた。ウインドウのなかには仮縫い途中のジャケットを着たトルソが飾ってある。

「じゃあ、また明日」

カズヤはお客がふれるところだけ輝きを残した真鍮《しんちゅう》のハンドルに手をかけて、こちらを振りむいた。

「あの、明日からぼくもみんなといっしょに帰っていいかな」

カズヤの表情があまりに真剣でぼくたちは黙りこんでしまった。誰もこたえられないでいると、照れたように笑った。

「急にごめん。気にしなくていいから」

ガラスの扉はゆっくりと閉まって、カズヤは店の奥に消えてしまった。階段をあがった二階が住まいなのだ。カズヤのおじいさんは仕立て職人で、ふたりはうえで暮らしているときいたことがあった。両親はいないらしい。ダイがおおきく息を吐いていった。

「さっきのさ、うちのグループにはいりたいって意味だよな。おれはカンベンだな」

ナオトがいった。

「どうして」

「だってあいつオカマだって噂があるだろ。なんか、ふにゃふにゃして気もち悪いよ。体育の着替えのときも、女みたいにTシャツのなかで身体をくねらせながらTシャツ脱ぐしさ」

そうなのだ。カズヤはなぜかもごもごとTシャツのなかで身体をくねらせながらジャージに着替える。そんなことをしていれば、おかしな注目を浴びるだけなのにやめようとしない。着るものにだけでなく、脱ぎかたにもこだわりがあるみたいなのだ。

「別にどっちでもいいけどな」

クールな声でそういうとジュンはさっさと先に歩いていってしまった。残りの三人はあとをだるそうについていった。誰もカズヤのことは口にしなかった。だってどちらでもいい問題なのだ。西仲通りのレトロな交番のまえで別れたときには、カズヤのことなど誰も覚えてさえいなかったと思う。

事件があったのはつぎの日の放課後だった。うちのクラスで一番の美女（非公式投票では学校全体で二番目）の杉浦和泉が、カズヤに告《こく》ったのである。イズミは田中麗《れ》奈《な》に似てきりっと締まった顔立ちで、髪も瞳も色素が薄くてすごく透明だ。肌なんか無色のフィルムを何十枚も重ねて、一番したの一枚に牛乳を塗ったって感じの透明度なのだ。ふれたら指先がどこまでも沈んでいきそうだ。片思いの男子だって、思いつくだけですぐに半ダースはあげることができる。

そのイズミが放課後、教室のうしろの空スペースでカズヤにいきなり声をかけた。自信があるからなのか、ぜんぜん隠そうともしない。うちのグループが教室をでようとしたとき、イズミの声がきこえた。

「ねえ、森本くん、いっしょに帰らない」

カズヤは正面でほほえむ美少女から、困ったようにぼくたちに視線を動かした。うちの中学では登下校をいっしょにするというのは、そのまま「つきあう」という意味だ。イズミは制服ブレザーのうえにベージュのPコートを着て、下校の用意をすませていた。うんとうなずいてならんで校門をでれば、学内の男子の半分からは羨望《せんぼう》の目で見られることになるだろう。

イズミのクリアファイルみたいな頬から、淡い血の色が透けていた。こんなにかわいい子でもやっぱり緊張するのだ。生徒が半分以上残っていた教室は静まりかえり、視線はカズヤに集中している。カズヤは八の字に眉をさげていつもの困った顔をした。

「ごめんね、今日は北川くんたちと帰るから」

よくできた人形みたいな顔にさっと厳しい表情が浮かんだ。イズミはすぐに笑顔を立て直して、口を開いた。さすがにクラス一だ。

「じゃあ、明日からはいいよね。森本くん、誰かほかに好きな人とか、つきあってる人はいないんでしょう」

ぼくはイズミをちょっと尊敬した。ぼくだったら最初のひと言でだめなら、あきらめてすぐ教室から駆けでてしまっただろう。だが、イズミはみんなの視線にも、断りの言葉にもひるんでいないようだった。しっかりとカズヤの目を見ている。

「ごめんなさい。つきあってる人はいないけど、好きな人がいるんだ。杉浦さんとはこれからも帰れないと思う」

カズヤは赤い頬のままはっきりとそういった。放課後ののんびりしたクラスが、その爆弾発言で騒然となった。口のなかでちいさくさよならといって、カズヤはぼくたちのほうに歩いてきた。

「いいかな、今日もいっしょに帰って」

ぼくはあっけにとられてうなずいた。ダイはあきれたようにいった。

「おまえ、今なにしたかわかってんのかよ。おれがおまえと代わりたいくらいだ」

カズヤは困った顔のまま、教室うしろの戸口からでていく。今度はぼくたち四人があとを追う番だった。ジュンがいった。

「自分の目が信じられないよ」

ダイが細身のトレンチコートの背中を見送っていった。

「なあ、ほんとうはカズヤってかっこいいのかな。ナオト、テツロー、どう思う」

ぼくにはこたえなんてなかった。だいたいクラスの女子から男子がどんなふうに見えるかなんて想像外の話だ。ナオトは高価なダウンコートのポケットに手を突っこんだ。

「これはやめて、今度ぼくも短いトレンチにしようかな」

ぼくたちは廊下をどんどん遠ざかっていくカズヤのあとを、ゆっくりと追っていった。

もちろんそのまま何事もなければ、これはクラス一の美少女の淡い失恋物語で終わったはずだ。だけど、そうはならなかった。不注意だったのはカズヤのほうかもしれない。翌週の休日明けにおかしな噂《うわさ》が流れたのだ。それはいつものホモ絡《がら》みの悪質な噂だった。でどころはイズミのとりまきの女子たちらしい。ぼくは昼休みにそのなかのひとり(久保田というんだけど、したの名前は知らない)に話をきいた。知らずしらずのうちに声がちいさくなってしまう。

「カズヤの噂だけど、ほんとうなの」

彼女はちらりと教室の反対側にいるイズミを見た。机のうえにのりだしていう。

「ほんとうみたいだよ。だってうちのグループの柳沢が新宿で目撃したって」

ぼくも窓ぎわの席に腰をおろした。校庭から外遊びをする生徒たちの歓声がのどかに響いてくる。ぼくは低い声のままいった。

「なにを目撃したんだ」

「だからさ、噂のとおりだよ。森本くんが大学生くらいの男の人と手をつないで歩いていた。恋人同士みたいにたのしそうに見えたって。場所はイセタンまえの歩道だってさ」

全身から力が抜けていくようだった。とてもつくり話にはきこえなかったのだ。

「その話は杉浦も知ってるの」

「うん、ショックだったみたい。でもやっぱり森本くんてホモセクシュアルだったんだ。どおりでほかの男子みたいにがさつなところがないと思った。なんかソフィスティケートされてるよね」

がさつな男子のひとりのぼくは、せっかくの情報にサンキューもいわずに窓ぎわを離れた。黒板の近くの机に座っているカズヤのちいさな背中を見る。自分の悪い噂が飛び交う教室で、どこのグループにも属さずにひとりきり。カズヤは今どんな気もちなのだろうか。

その日は不思議なことに、放課後になっても女子は誰ひとり帰ろうとしなかった。夕日は深くさしこんでいたが、授業のあいだの休憩時間のようにざわざわとした興奮が教室に残っている。最初に動いたのは、またクラス一の美少女だった。とりまきたちが集まった自分の机を離れて、まっすぐにカズヤの席にむかう。背は伸ばしたまま、戦場にむかうように勇ましい背中だった。

「森本くん、ちょっといいかな」

帰りじたくをしていたカズヤが驚いてイズミを見あげた。イズミは断固とした調子でいった。

「きてくれる？　クラスのみんなのまえで話したいことがあるんだ」

そういうとイズミはカズヤの手をひいて、教壇のうえにあがった。ホモの噂がある男子生徒とクラス一の美少女が手をつないで、黒板のまえに立っている。教室は無言の期待で息苦しいくらいだった。背の高さはほぼ同じくらいだ。イズミが肌と同じように澄んだ声をあげた。

「今朝から森本くんについてくだらない噂が飛んでるけど、今ここでその噂が間違いだって証明します」

男子のあいだからおーっと低いため息がもれた。イズミはカズヤの肩に手をおいて、自分のほうにむかせた。

「みんなが森本くんのことをホモだっていってる。わたしなんかじゃ嫌かもしれないけど、そうじゃないって証明にキスしていいよ。ねえ、森本くん、昨日新宿になんていってないよね」

プリーツスカートのしたイズミの足が震えていたのに、近くにいたぼくは気づいた。イズミは長いまつげを閉じて、唇を丸くつきだした。今度は女子からきゃーという悲鳴があがった。うそー、ダイタン。マジかよー。すぐ、やれー。あちこちでひやかしの声があがって、今度は手拍子になった。結婚式の披露宴で新郎と新婦に投げられるあの下品なあいの手が重なる。

「キスッ、キスッ、キスッ」

我慢できなくなった何人かが椅子《いす》のうえに立って手をたたいていた。そのときカズヤが教壇の中央にすすみでた。横をむいて、青白い顔で目を閉じるイズミにいった。

「ぼくのためにありがとう。でも、ごめんなさい、やっぱりキスはできない」

カズヤは八の字眉《まゆ》をさげたまま、声を一段おおきくした。

「日曜日の午後、新宿にいたのはほんとうです。そのときいっしょだったのは、好きな人ではないけど、ボーイフレンドのひとりです。ぼくはみんながいうとおり、ほんとはこっちなんだ」

困った表情で頬を赤くしながら、手のひらをななめに顔にあてた。テレビなんかでおなじみのオカマのジェスチャーだ。カズヤはすべてを笑いでごまかそうと決心したみたいだった。

「もうこんなこと、みんなのまえでいわせて、イズミちゃんたら嫌だー」

そういって、クラス一の美少女の肩を遠慮がちにたたいた。足が震えているのは、イズミだけではなかった。カズヤの足だって目に見えて震えている。ぼくと目があうと、涙目でうなずきかけてきた。

「はい、さらしものはここでおしまい。この先が見たかったら、うちの店でジャケットでもオーダーしてね」

カズヤは教壇をおりるとき、ひざから力が抜けたようだった。がくりと腰から崩れそうになる。ぼくはカズヤの肩を支えていった。

「だいじょうぶ」

　となりにいたジュンが感心したようにいった。

「すごかった。カズヤはすごい勇気があるな。もうこんな教室はいいから、いっしょに帰ろうぜ」

　カズヤがうつむいていた顔をさっとあげた。

「いいの？　これからもいっしょに帰ってくれるんだ」

　ダイが胸をたたくと白いシャツのしたで、筋肉と脂肪がたっぷりと揺れた。カズヤのカバンを軽々ともっていう。

「へへ、グループのやつをいきなり襲ったりしなけりゃな。さあ、いこう」

　そこでぼくたち四人とカズヤはサルの檻《おり》のような教室をでた。最後に見たとき、イズミは放心したように自分の席に座っていた。血の気はまだひいたままだったけれど、それが逆に氷の彫刻のようできれいだった。まわりには何人かの女子生徒がいる。ぼくはイズミはきっといいやつなのだと思った。

　だが、この世界には善意から最悪の事態を引き起こしてしまう人間がいるのだ。イズミの美しさは、その無神経の代償なのかもしれない。

ぼくたちは暮れていく朝汐運河のうえにいた。五人はすこしずつ距離をおいて、ほこりっぽい欄干にもたれていた。通学カバンは歩道のあちこちに投げだしてある。眠たげな水面、夕日を浴びた月島の街なみ、暗い空とその背景から浮きあがる超高層ビル群。いつもの見慣れた風景が、なんだか切れるように鮮やかだった。

カズヤは欄干の足元に腰をおろして、雲ひとつない秋の夕暮れを見あげていた。ピンクあるいは紫の色ガラス、どちらにでもとれるような微妙な単色の空だ。

「ぼくは幼稚園のころから、いいなと思うのは男の子ばかりだった」

カズヤがぽつりというと、ジュンがすぐに言葉をはさんだ。いつもはクールなジュンの声がひどくやさしい。

「むりやり話さなくていいよ」

カズヤの声はむきになってもいないし、教壇のうえのときのように自虐《じぎゃく》的になってもいなかった。

「そんなんじゃない。みんなにはきいてもらいたいんだ」

ぼくたち四人は誰もカズヤのほうを見ていなかった。それぞれ別な方向を見て、自分たちとまったく変わらないのに、どこか深いところで異なったクラスメートの声をきいていた。それでもカズヤは十四歳で、ぼくたちと同じ男子生徒なのだ。

「日曜日のデートはほんとうのことだよ。あの大学生はぼくたちみたいな人間が集まる出会い系サイトで知りあった人なんだ。でも、ああいうところってやっぱりむずかしいね。ぼくはもっとおたがいのことをよく理解してからにしたいって思うんだけど、すぐに身体《からだ》にさわったり、キスしたりするんだ。だけど、ぼくたちは少数派だから、なかなか普通の場所では相手がみつからない」

　ナオトがカズヤから視線をはずしたまま恐るおそるいった。

「じゃあ、その大学生はカズヤの好きな人ではないんだ」

「うん、違う。好きな人は別にいる。手は届かない人だけど」

　ぼくは一瞬だけカズヤの目を見た。カズヤはぼくにうなずきかけて、視線を丸くて厚いダイの背中にむけた。ぼくのほうに目をもどすと、唇の片方の端で笑ってみせた。そういうことか、がさつなぼくにもそれで十分だった。確かにこいつは手が届かないかもしれない。ぼくもカズヤといっしょに淡い空を見る。

「みんながぼくのことをどんなふうに噂しているのかぼくは知ってるし、それもしかたないことだろうって思うよ。誰だって自分たちと違っていたら、おかしな人間だって決めつけるものだから。でもね、ひとつだけ不思議なことがあるんだ」

　カズヤの声は涙ぐんでいるようだった。ぼくたちは黙ったまま、朝汐橋の途中でその声をきいた。それは妖精《ようせい》や天使みたいに性別を超えた声だ。

「不思議なのは、みんなにどれほど悪くいわれても、ぼくにはそれがぜんぜん悪いことに感じられないってことなんだ。だって男の人を好きになるのは、ぼくが生まれてからしたことのなかで一番いいことなんだよ。心の深いどこかでぼくはわかってる。みんなが間違っていて、人を好きになるぼくのほうがただしいんだ。男とか女とかじゃなくて、人を好きになること。幼稚園のころも月島中学にはいっても、これから大人になっておじいちゃんになっても、それは絶対変わらないと思うんだ。誰かを好きになるのは、とても素敵なことだ。それに男とか女とか関係あるのかなって」

そのときダイが吠えるようにいった。

「ああ、クソー。カーセックスもいいけど、おれもやせるくらいのレンアイがしてーな」

カズヤの言葉をきいていて、ぼくが感じたのも同じ気もちだった。それはひどく単純なことで、言葉にするとバカみたいだった。切なくなるほどの恋をしたいなあ。きれいとかきたないとかじゃなく、頭がいいとか悪いとかじゃなく、Hをするとかしないとかじゃなく。その人のことを思うと、自然にあたたかい気もちになったり、心がよじれて眠れなくなる、そんな恋をしたいなあ。

ぼくはそんなふうに思いながら、日が沈んで三十分後の空を見ていた。それは実際に恋をしているときよりずっと切ない気もちだった。そのままぼくたちはなにもいわずに橋のうえで固まっていた。誰かを好きになりたい気もちはものすごく強くて、なんだか身動きがとれなかったのだ。

しばらくしてぼくたち五人はカバンを拾うと、暗くなり始めた橋をわたり、街におりていった。ナオトはカズヤのトレンチコートを見ていった。

「あのさ、それどこのやつ」

カズヤは得意そうにいう。

「バーバリーのブラックレーベルのやつ。でも買っただけじゃだめなんだよ」

カズヤは手際《てぎわ》よくタイトなコートを脱ぐと、裏返して腰のあたりの縫い目を見せた。

「ウエストがまだゆるかったから、だいぶつまんであるんだ。うちはテイラーでしょう、洋服を直すのがぼくは得意なんだ」

ナオトがいった。

「じゃあ、今度ぼくが買ったら、直してくれる？　もちろんバイト代は払うから」

裾《すそ》をひるがえしてコートを着るとカズヤはいった。

「いつでもいいよ。テイラー・モリモトをよろしく」

ジュンがダイのつきだした腹を見ていった。

「ダイもさ、ちょっとはスマートに見えるように、そのユニクロ直してもらったらどうだ」

カズヤはあわてていった。

「小野くんはぜんぜんそのままでいいよ。おしゃれなんかしなくても……」

カズヤはそこで赤くなり黙りこんでしまった。ぼくはカズヤがのみこんでしまった言葉がおかしくてひとりで笑った。確かにダイはカズヤとは対照的で、へんにおしゃれなんかしてもきっと似あわないだろう。ぼくには幼なじみの太っちょのどこが魅力的だったりセクシーだったりするのかよくわからないけれど、カズヤにはきっと独特の趣味があるに違いない。

あちこちのもんじゃ屋のまえににぎやかな行列ができた西仲通りで別れるときには、もう誰も放課後の教室でのことは気にしていないようだった。

だってカズヤが誰を好きになるかなんて、考えたらどうでもいいことだからね。

この話のオチは男子生徒のほとんどにとっては、とてもくやしいことになった。勇気をだして自分の性的な志向を認めたカズヤは、つぎの日から一躍女子生徒のあいだでヒーローになったのである。クラス一の美少女、イズミとはつきあわなかったけれど、親友にはなった。ときどきいっしょにも帰ったりする。

カズヤは数カ月後のヴァレンタインデイには、ひとりで十二個のチョコレートを集めてうちのクラスの最高記録を更新することになるだろう。そのうえ、女子だけしか参加できない手づくりチョコの試食会（友チョコパーティってやつ）に、男子からひとりだけ招待されたともいう。

ちなみにうちのグループ四人が受けとったチョコレートの数はみっつだけ（ジュンがふたつにぼくがひとつ）で、カズヤには圧倒的な大差をつけられた。チョコをひとつももらえなかったダイとナオトは、反則だ、ずるいとぶつぶつ文句をいっていたけれど、クラス中から羨望《せんぼう》の目で見られたカズヤにも残念なことはあったらしい。

ぼくはこっそりきいたのだが、カズヤも手づくりで二月十四日にはチョコを用意していたそうだ。でも、もちろんダイにはわたせなかった。そのチョコは隅田川を見おろす佃《つくだ》公園のベンチに座って、ぼくたち五人でたべた。

それは甘くなくて、苦味の強い大人の味だった。ココアパウダーを振りかけた二十個以上のチョコレートの半分以上をダイがかたづけたのは、だからカズヤにとってはとてもうれしいことだったらしい。歯を茶色に染めて大口をあけて笑うダイのセックスアピールについては、ぼくには依然として謎《なぞ》のままだ。

空色の自転車

あの朝はとても寒かった。東京ではめずらしいくらいの冷えこみで、マンションをでたとたんに凍った空気の壁につっこんだ気がした。吐く息は白く伸びてマフラーのように顔にまとわりついている。ぼくはいつもの時間より十五分早く家をでた。早足で待ちあわせ場所にむかう。

佃《つくだ》公園は大川端《おおかわばた》リバーシティの足元にあるきれいに整備された公園だ。隅田川沿いに細長く続き、春になると堤防の遊歩道をソメイヨシノが淡く縁取って、地元では有名な花見の名所になる。もっともその朝は二月のなかばすぎだから、つぼみだってまだ育ってはいなかった。

朝日のあたる木のベンチに通学カバンをおいて、もうナオトとジュンは顔をそろえていた。あとひとり、太った顔の友達はそこにはいなかった。もしかすると二度と会えないのかもしれない。ダイは月島署のとりしらべ室のなかだ。ぼくは不安になり、最後の十メートルを小走りで縮めた。

「おはよう。誰かダイのこと、もっと詳しく知らないか」

ナオトが白髪《しらが》混じりの頭を心配そうにかきあげた。

「わからない。うちにも今朝、緊急連絡網がまわってきただけなんだ」

自分のカバンをベンチに放り投げた。

「そっちはなんてきいてる」

ナオトは急に目を伏せた。いいにくそうに声を低くする。

「ダイの家で不幸があった。事故で急にお父さんが亡《な》くなった。まだ事情はよくわからないけど、ダイと弟の良平くんが警察でとりしらべを受けている。もしかすると通学途中にマスコミからなにかきかれるかもしれないけど、きちんと挨拶《あいさつ》だけしてあとはなにもいってはいけない」

ジュンが皮肉な調子でつけくわえる。

「そうやってなにか起こるたびに、みんなが貝になる。日本のニュースの定番だな」

ぼくの声は自分でも意識しないうちに強くなった。

「じゃあ、ジュンはビデオカメラのまえでマイクをむけられたら、なんていうんだ」

ジュンはメガネの奥の目を鋭くして、なにもない敷石の足元を蹴《け》った。

「ダイのおやじさんのほんとうのことをいう。あんなやつ死んでも当然だったっていってやる。ナオトもテツローもそう思っていただろう」

ぼくにはジュンのような勇気はなかった。黙って川面を見おろす。いつもの朝と同じように高層ビルの谷底を流れる隅田川は鉛の板のように平らだった。

ぼくたちはカバンを肩にかけて歩き始めた。ちいさな運河にかかる赤い橋をわたり、佃から月島にはいる。ジュンが携帯の液晶画面を見ていった。

「まだ時間がちょっとある。ダイの家を見ていかないか」

ダイが住んでいる長屋は通学路の途中、西仲通りの路地裏にあった。ナオトが口ごもる。

「いいけど、だいじょうぶかな」

先生や警官がいるんじゃないかと心配だったけれど、ぼくの口からでたのは反対の言葉だった。

「いってみよう。なにかまずいことが起きそうになったら、通行人の振りをすればいい。ダイの家を見たらなにかわかるかもしれない」

それでぼくたちはサラリーマンが月島駅にむかうもんじゃストリートを逆方向へ歩

きだした。この通りはもんじゃ焼きの店ばかり有名だけど、この何年かはつぎつぎとマンションができて、都心で働くビジネスマンのベッドタウンになっている。土地の値段がさがって都心回帰が始まったなんていうけど、街の様子はきれいに三つに分かれているのだ。

まず最初に佃島に建つ高さ百メートル以上の超高層超高級マンション。億ションかつきの家賃が三十万円以上する高額物件ばかりで、当然ナオトの家みたいな金もちが住んでる。つぎに月島にある中規模の中級マンション。この部分が最近のマンションブームで急に数を増やしている大企業のサラリーマンむけ。そして最後に西仲通りの路地裏には、明治や大正のころからそのままなんじゃないかという、瓦《かわら》や銅板で屋根をふいた木造の長屋がまだけっこう生き残っている。

アールデコっぽいデザインの交番をすぎると、西仲通りには何台もテレビ局の小型バスがとまっていた。仕事のない主婦や老人たちが立ち話をしながら、路地の奥をのぞきこんでいる。ぼくは緊張で身体《からだ》が硬くなったが、声を殺してジュンにいった。

「やっぱりダイのうちのまえまでいくのか」

ジュンもがちがちに硬くなっているようだが、うなずき返してきた。

「ここまできたんだ。いってみよう」

ナオトも半白の頭でうなずいている。ぼくたちは幅一メートル半ほどの中央が低くくぼんだコンクリート敷きの路地にはいっていった。急に朝が夕方に変わったようにあたりが暗くなる。そこでは何組かのテレビクルーがまぶしい照明とかけ声を飛ばしていた。路地に面した家は戸口と窓を閉め切り、誰も顔をだしていない。なかほどにちょうど車が二台とめられるくらいの空き地が開けている。その手まえには立入禁止の黄色いビニールテープが幾重にもわたされていた。

空き地のまんなかには鎖と南京錠《なんきん》でぐるぐるまきの水道の栓が見えた。子どものころ、よくそこでダイとビニールプールで遊んだものだ。空き地に面した三軒長屋の一番右手がダイの家だった。ななめに重ねられた板壁が黒くすすけ、地面に近いところには鮮やかな緑の苔《こけ》がついている。築半世紀くらいの木造の長屋。となりはずいぶんまえに住人がでていったままで、割れた窓の奥にはおき去りにされたほこりまみれの家具が見えた。

テープのまえには大学生みたいに若い警察官が立っている。ジュンがぼくのわき腹をつついていった。

「あれ、見ろよ」

ジュンは水道のむこうの地面を指した。そこにぼくも見た。湿って灰色になったコンクリートに描かれた白いチョークの人型。身体を丸めていたようで、ひどくちいさく丸かった。昨日の夜は氷点下まで気温はさがっている。ダイのおやじさんもきっと寒かったのだろう。ぼくたちが立ちどまっていると警官がいった。

「学校へいきなさい。ここはきみたちのくるところじゃない」

それで、ぼくは誰もいないとひと目でわかるダイの家を最後にもう一度見た。なぜか玄関先には裸電球がひとつ明かりをつけたままさがっていた。ダイと良平くんとお母さんは今朝あの人型のところで倒れているおやじさんを見つけてどう思ったのだろう。そう考えただけで目のなかで突然裸電球が揺れて、あやうくぼくは涙を落としそうになった。

路地を西仲通りにもどった。ぼくたち三人はダイの家で起きた事実の重さに黙りこんでいた。とぼとぼと月島中学にむかって歩いているといきなり強い光りに撃たれる。目のまえに銃口のようなマイクが突きだされた。

「あなたたちは容疑者と同じ中学の生徒ですね。顔は知っていましたか。どんな男の子だったですか」

隙《すき》のない化粧をした女性レポーターが、ひと息にそういった。ぼくたちは五人の大人にかこまれ立ちどまる。ジュンの顔色が変わった。あわててぼくは口を開いた。

「名前はいわないほうがいいんですよね」

首筋に巻いたおおきなリボンのようなスカーフを直しながらレポーターはいった。

「生じゃないから、あとで消すこともできるの。顔見知りだったのかな」

「顔見知りなんかじゃありません。ダイとは友達だった」

肩に大型のビデオをのせたカメラマンが近づいてくる。自分の顔がアップになるのがわかった。目を落としていう。

「ダイは太ってでかかったけど、暴力をふるうようなやつじゃありませんでした。あのおやじさんにはいつもなぐられていたみたいだけど、誰か別の人間をなぐってさばらしするようなやつじゃなかった。ダイがおやじさんを殺したなんて、嘘《うそ》に決まっています」

こういうときは自然に気もちが言葉についてくるのだとわかった。最後のひと言をいったら、ぼくはまた涙ぐんでしまったのだ。ジュンがぼくの肩越しに冷水をかけるようにいった。

「ダイがいくらなぐられたって、なにもしなかったくせに、あのクソおやじが死ぬと、こうやってカメラなんかかついで大騒ぎする。大人の仕事ってたいへんですね」

女性レポーターは慣れているようだった。ジュンの挑発にはのらずに、目を光らせてぼくにいう。

「小野くんの一家はどんなふうだったの」

ぼくたちは目を見あわせた。学校からは禁止されている。だけど、三人ともなにかダイのために役立つことをしたかったのだ。黙っていたナオトがいう。

「ダイのうちはお母さんが働いて、おやじさんは働いたり働かなかったりでした。それで働いていてもいなくても、いつもお酒だけはのんでいた」

どんな街にも必ずひとりはいる、昼間からおおきな声をだしてなにかに怒っている人間のひとりだ。仕事は築地市場で清掃とか配達とか、こまごましたことをやっていたらしい。

「あなたは今度のことをどう思いますか」

情報をもらういいチャンスだった。ぼくもひと息でいった。

「ぼくたちはまだなにも知らされていないんです。ダイのおやじさんはどうして死んじゃったんですか」

今度はレポーターがスタッフと目を見あわせていた。ジーンズをはいた若い男の人がうなずくとレポーターはいう。

「昨日の真夜中、泥酔《でいすい》している小野浩太さんが、長男と次男によって家のなかから引きずりだされ、そのまま放置されました。今朝早く家族に発見されたときには亡くなっていた。まだ正式な発表はないけれど、死因は凍死の線が有力なの」

「そうですか」

声が沈んでしまう。ジュンが考えこむようにいった。

「それなら、事故でしょう。ダイだって殺そうと思って、外にだしたわけじゃない。酔いを覚まそうとしただけだ」

レポーターはまたディレクターに視線だけで確認を求めた。うなずいてぼくたちにいう。

「それがね、そう簡単にはすまないの。大輔くんは殺すつもりだったといっている。お父さんが死んでもいいからと外に放置して、最後にバケツの水をかけたんだって証言しているらしい」

それからなにもいえなくなって、ぼくたち三人はその場を離れた。

月島中学では一時間目が始まるまえに緊急集会が開かれた。ま冬の体育館の床は冷たい。メガホンで拡大された校長の声が、鼻息も荒く全生徒の頭上に響いた。改めていっておきたいほどの内容はなかった。人の命の大切さをめぐる公式見解が繰り返されただけだ。

教室にもどるとぼくたちの担任教師は、そのルーティンをもう一度、今度は半分の熱もない調子でおさらいした。うちの担任のあだ名はリーマンという。有名な数学者ではなく、サラリーマンの略称のほうだ。生徒指導をするより、秋葉原にガンダムの限定版プラモデルを買いにいくほうが大切なサラリーマン教師。生徒との関係は業務上のものなので、ぼくたちだって尊敬しない代わりに軽蔑《けいべつ》もしていない。第一なにごともないときは、気になるほどの関係さえなかったのだ。

でもこうしてなにか事件が起きてみると、リーマンが生徒に関心がないことがはっきりとわかった。十分間で終わった話しあい（といってもただ教壇のうえから、どこかできいたことのある言葉が降っただけ）のあとで、すぐに社会の授業が始まった。中学生は民主主義の学習をしなければならない。

うちのクラスの生徒もたいていは、なにもない振りをしていた。休み時間にも誰もダイのことを話そうとはしなかった。これが他校の生徒とのケンカやコンビニでの万引きだったら、みんな笑ってネタにしたと思う。だけど、誰かの家で起きた死は笑い飛ばすにはあまりにも理解不可能なことだった。しかも、父親を殺したのは昨日まで冗談をいいあっていたクラスメートなのだ。うちのクラスは一日中薄い氷のうえで授業を受けているようだった。誰かの不用意なひと言で教室の底が抜けて、全員が氷の海に沈むかもしれない。不安そうな視線がおたがいのあいだをいききするだけだった。

ジュンとナオトとぼくの三人は、放課後になって職員室にいった。あまり期待はせずにリーマンの机のまえに立つ。デスクトップにはゲームセンターのＵＦＯキャッチャーで取ったちょっとまえのＳＦ映画のキャラクターがいくつかならんでいた。エイリアンやグレムリンや砂の惑星なんか。ぼくが最初にいった。

「ダイと面会はできないんですか」

チェックのボタンダウンシャツに灰色のカーディガンを重ねた担任教師は、どこか困った表情でぼんやりとしていた。

「うちの校長もぼくも面会はむりみたいだ。きみたちがいっても会わせてはくれないよ」

ナオトがいう。

「月島署にいるのは確かなんですよね。今夜はどうなるんですか」

「さあ、夕方までとりしらべが続いて、そのあと児童相談所の施設に移されると思うが、まだわからない」

「そうですか」

黙っていたジュンが口を開いた。標本箱のなかの虫でも見るような目でリーマンを見ている。

「会えなくても、手紙を書くことはできますよね。だって映画なんかじゃ刑務所のなかにだって、手紙は届けられてる。ぼくたちも手紙を書いてもいいですか」

リーマンは迷惑そうな顔をした。

「それはみんなの自由だけど、ぼくは届けにはいけないな」

ジュンの声は鋭く澄んでいた。

「わかります。自分たちで警察まで届けにいきますよ。先生には迷惑はかけません」

教室にもどったぼくたちはジュンの机に集まった。アルミサッシの窓の外では野球部とサッカー部の部員がぐるぐると校庭を周回していた。事件があったせいで校庭のまんなかで派手にゲーム形式の練習はできないのだろう。校門の外にはまだテレビの人たちが集まっていた。ぼくは開いたままのレポート用紙をまえにして腕を組んだ。

「なんて書いていいかわかんないよ。ダイとはいつもバカな冗談ばかりいってたし。一日でこんなになるなんて……」

そのままみんな黙りこんでしまった。二十分も固まったままでいる。女子の誰かが教室のうしろの戸をあけたけれど、三人の雰囲気を見ると忘れものだけとって逃げるように教室を離れていった。目のまえのレポート用紙が真っ白な砂漠のように見える。作文のときの何百倍の広大さだった。ぼくはいった。

「だめだ。上手くなんか書けないよ」

ジュンがそっぽをむきながらいった。

「それでいいんじゃないかな。上手くもたくさんも書くことなんてないよ。今ぼくたちがダイにどうしても伝えたいことだけ選んで、それを箇条書きにすればいい」

さすがにジュンだった。頭がいいんだ。ナオトがいった。

「じゃあ、なにがあってもダイとぼくたちの関係に変わりはないって書いてよ」

ぼくは最初に①とシャープペンシルで番号を立てて、一文字あけてナオトのいうとおりに書いた。ジュンがいった。

「三人ともすごくダイのことを心配してる。なにか足りないものはないかって書いてくれ」

ぼくは②③と数字を打って、そのまま書いた。ぼくも四番目を思いついて口にだしてみる。

「なにがあったか知らないけど、ずっと信じてるってのはどう」

「それいいな。書けよ」

ジュンが目を赤くしてそういった。涙で字が歪《ゆが》んでしまったが、ぼくは④を書いた。三人がつぎつぎとどうしても伝えたいことをいって、丸数字はまたたく間に十七個まで増えていった。レポート用紙は三分の二ほど埋まってしまう。

「こんなところでいいんじゃないか」

ジュンがそういってぼくたちはダイへの手紙を終りにした。白い紙のうえには、へたくそな字でなんだかあたりまえの言葉がならんでいた。ぼくは間違いがないか確めるために、もう一度読み直して泣いてしまった。ジュンにわたす。ジュンも読んで泣いた。ナオトはぼくとジュンが泣いているのを見るだけで泣いた。最後に一番したに三人が交代でサインした。

「封筒買いにコンビニいこう」

泣きはらした顔で校庭を抜けていく勇気はなかったので、ぼくたちはトイレで何度も顔を洗った。氷水のように冷たかったけれど、それでいくらか気分が落ち着いた。涙で目が赤いだけでなく、冷水で頬まで真っ赤になった顔をおたがいに指さしてぼくたちは笑った。そのときは泣いても笑ってもどちらでも同じ気もちだった。ただどちらかをしていないと胸のなかでなにかが破れそうだったのだ。

月島署は月島橋と新島橋をわたった先の勝どき六丁目にある。うちの中学からは一・五キロくらい離れているけれど、ぼくたちは通学カバンを肩にさげて清澄《きよすみ》通りを歩いていった。通りの先のほうは夕日が残っていてまだ明るかったが、振り返ると夜の空が広がっていた。月島は埋立地なので起伏がなくて空がとても広い。その日の夕暮れは、見ているだけで身動きができなくなるほど厳しく澄んでいた。

警察署は白く塗られた中層の建物だった。手まえは何台分かの駐車場になっていて、半分がパトカーで埋まっていた。腰に無線機のコードをさげた警察官があたりをにらんでいる。ぼくたちは会釈《えしやく》してそのまえをすぎた。あいたままのガラス扉をとおって、正面の受付にぶつかる。壁には交通安全モデル地区、昨日の死亡者0、負傷者3なんて黒板がさがっていた。指名手配の犯人の顔写真や自動車免許の書き換えの手順なんかも張りだしてある。ぼくは受付のむこうで机にむかっている警官に声をかけた。

「あの、すみません。少年課の部屋はどこにありますか」

ボールペンをおいて、中年の署員がやってきた。

「きみたちは月島中学の生徒か。用件はなにかな」

ジュンが一歩まえにでていった。

「今朝ここに送られてきた小野大輔くんの同級生です。ぼくたちはあいつの友達なんです。面会はできないときいてきました。だから手紙を書いてきたんです。ダイにその手紙をわたしたいんですけど」

ぼくたちの真剣な様子に署員の対応が変わった。すぐに電話をかけてくれる。

「ちょっと待ってなさい」

ロビーにおいてある黒いビニールのベンチに座って、十分ほど待った。階段を紺のウインドブレーカーを着た男の人がおりてくる。ちらりとぼくたちを見ると、こちらにやってきた。

「少年課の島田です」

ぼくたちは立ちあがり、挨拶《あいさつ》した。

「きみたちが小野くんの友達か」

髪の形や制服の着方、通学カバンのひもの長さなど、ぼくたちの細部に視線がそれとなく走るのがわかった。ぼくはいった。

「あの、手紙をわたしてもらうことはできるでしょうか」

少年課の警官の頭はTIMのゴルゴに似ていた。全体を短く刈りあげているけれど、前髪の先だけくるりと立っている。困ったなという顔をした。

「今日はまだすこし興奮しているから、明日様子を見てわたそう」

ぼくはカバンのなかから封筒をだした。島田さんに手わたす。

「すまないが、小野くんに見せるまえに、わたしが読んでもいいかな」

ジュンが不服そうに警官をにらむのがわかった。ぼくはあわてていう。

「ええ。かまいません。ダイには明日もまた手紙を書いてくると伝えてください」

それだけいって帰ろうとすると、警察官はぼくたちを呼びとめた。手にはどこからだしたのか黒い手帳を開いている。

「きみたち三人の名前をきかせてほしい」

そこに自分の名を書かれるのは、なんだかすごく気がすすまなかったが、ぼくたちはそれぞれの名前をいって、月島署をあとにした。

手紙の配達はそれから四日間続いた。毎日書いているから、書くことがなくなるんじゃないかと心配だったけれど、逆に手紙はどんどん長くなっていくのだった。放課後、ぼくたちはジュンの机に集まり、三人ですこしずつ話しながら書いていく。二度目に月島署にいったときには、すぐに島田さんがでてきてくれた。不思議なことにあんな手紙を読んで、心を動かされたという。帰りぎわに名刺をくれた。警視庁月島警察署　少年課第二係　主任。改行して警視庁巡査部長　島田恒雄《つねお》。なんだか二時間推理ドラマみたいでカッコよかった。

「なにかあったらそこに連絡しなさい」

四回の訪問で月島署への配達は終わった。島田さんはダイのとりしらべがすんで、身柄は昼のあいだも児童相談所の福祉施設に移るという。築地七丁目のその施設の住所をきいて、ぼくたちはお世話になりましたと頭をさげた。そのころにはジュンも島田主任を見直していたので、素直になっていた。

築地は隅田川のむこう側だから、ちょっと毎日の配達はしんどそうだった。歩いていけなくもないけれど、やはり無理がある。つぎの日から手紙は郵送することにした。

気がかりだったのは、ダイから一通も返事が戻ってこなかったことだ。ナオトはよくいっていた。

「きっとすごく厳しくて、手紙を書いたりするのは禁止されているんだ。悪いやつだと仲間に頼んで証拠を湮滅《いんめつ》したりするから」

そんなことはないと思ったけれど、ぼくは黙っていた。

ダイが児童相談所からもどってきたのは二週間後だ。新聞は事実を伝えただけだったけれど、週刊誌はアルコール依存症で家族に暴力をふるっていた父親に厳しく、ビルの清掃で家計を支える母親とふたりの兄弟には同情的だった。ダイの証言は事件による一時的な興奮下のものということで、あまり重く見られなかったらしい。弟をかばおうとしてダイはすべて自分のせいだともいったようだ。兄弟はそろって不起訴処分になり、家庭裁判所に送られることもなかった。児童相談所から早期の復学が望ましいとの意見がだされて、ダイはさらに一週間後、三学期が終るころには月島中学にもどってきた。よそよそしく冷たい他人の顔をして、むっつりと黙ったまま、顔はやせて頬の線が厳しくなっていた。

あの朝をすぎてダイのなかでなにも変わらないはずがなかったのだ。

いろいろあったけど、小野くんは今日からまたみんなの仲間として帰ってきました。なかよくやってほしい。リーマンの言葉は事務的であっさりとしてなかなかよかった。ダイは一時間目が始まるぎりぎりに教室に滑りこんできて、ぼくたち三人の誰とも目をあわせずに自分の席に着いていた。

落ち着かない気分の授業が六時間終り、放課後になると突然姿を消してしまう。つぎの朝、いつもの集合場所にはあらわれなかった。ぼくたちはうるさくならない程度に、ダイに話しかけた。手紙は読んだ？　うん。書くのは禁止されていたの？　ううん。ダイの肩にはいつも力がはいっていて、気もそぞろの短い返事がかえってくるだけだった。ダイは学校のいきかえりもぼくたちを避けて別なルートをとっているようだった。朝夕の街では見かけることもないのに、始業時間には身体《からだ》の線を硬くして机にむかっている。

ダイが帰ってきて三日目の水曜日、帰り道でナオトがいった。

「知ってる？　ダイが最近、Aグループといっしょらしいよ」

ジュンが舌打ちした。

「ちぇ、ほんとかよ。あんなのといっしょだと、ダイやばいじゃん」

みんながAとかげで呼ぶ有野義美は月島では有名な有野兄弟の三番目だった。となりのクラスの問題児だが、噂《うわさ》はいろいろだ。バイクを盗んで売った、ヤクザの兄から覚醒剤《かくせいざい》をもらってる、誰が一番キック力があるか試すために便器を十個も蹴《け》り割る。どれも確かな証拠はなかったが、Aならやりかねないことだった。どの街のどの中学にも何人かいる古典的な不良グループだ。ぼくはいった。

「なんとかしないといけない。ダイはあんなやつらとは違う」

ジュンがぼそりといった。

「でも、自分ではあいつらと同じだと思ってたりしてな」

つぎの日の放課後、ぼくたちは半分震えながらとなりのクラスにいった。Aを呼びだしてもらう。Aはとりまきふたりを連れて、廊下にやってきた。バーバリーのVネックセーターに腰ばきしたパンツ。足首にたまった布が床とこすれてボロボロにほつれている。グループの制服だ。Aはにやにやと笑いながらいった。

「なんの用だよ」

ぼくたちのまわりをほかの生徒がこわごわと避けていった。勇気をだしていった。

「ダイのことで話がある」

廊下につばを吐くとAがいった。

「それならちょっと顔貸せよ。ここじゃなにかとまずいだろ」

Aは子分にいった。

「おまえ、ちょっといってダイ呼んでこい。プールの裏な」

ぼくたちはぞろぞろとま冬のプールめざして移動した。

プールの裏側にあるポンプ室の階段にAグループは腰をおろした。ぼくたち三人は一年中陽のあたらないかび臭い空気のなかで立ったままだ。ダイがやってきて、Aのほうに加わり四対三になった。ダイはぼくたちの誰とも目をあわせようとしない。Aは両ひじをうしろについて、階段に寝そべった。

「話ってなんだよ」

「ダイをこっちにもどしてほしい」

Aは笑い声をあげた。

「ダイはおまえらみたいなお坊ちゃんとは違う。いろいろあったしな。第一、ネコじゃねえんだから、もらったり返したりできないだろ。ダイ、おまえはどうなんだ」

ダイは誰とも目をあわせずに、おおきな身体を縮めて首を横に振った。

「ほら、見ろよ。まあ、うちのグループとしてはダイは日が浅いから、別にもどしてやってもいい」

にやにや笑いは消えなかった。ナオトが勢いこんでいう。

「ほんとに」

Aの顔で笑いがいっそうおおきくなった。

「そうだな。ひとり十万で、三十万でどうだ。友達ひとり、悪のグループから救うんだから、それくらいなら安いもんだろ。金が集まったら、また顔だしな。それまでダイはあずかっといてやるよ。いくぞ」

ダイはAを中心にしてグループが立ち去っても、まだのろのろしていた。鋭い声が飛ぶ。

「ダイ、早くこい」

なにかいいたそうな顔をしていたが、ダイはいってしまった。ぼくはポケットに手をいれたままのジュンにきいた。

「だいじょうぶかな」

ジュンは軽くうなずき返してきた。ナオトがいった。

「うちの親に話して三十万円借りようか。それで片がつくなら安いと思うんだけど」

ぼくは首を横に振った。

「だめだ。それじゃ、ペットショップでネコの子を買うのと同じになっちゃう。ダイもよろこばないよ」

ジュンがいった。

「うちはナオトみたいな金もちじゃないから、十万円も返せそうもない。おれたちだけでなんとかするんだ」

そうできるといいけれど、どうなるのかそのときのぼくにはぜんぜんわからなかった。

携帯電話が突然鳴ったのは、土曜日の夕方六時ごろだった。ダイの太った声が久々に耳元できこえた。

「テツロー、おれだけど」

「なに」

「ちょっと話がある。これから佃《つくだ》公園にでてこられないか。ジュンとナオトも呼んでるんだ」

あと一時間で晩ごはんだがいいだろう。ぼくはキッチンにいる母親に声をかけて、家をでた。一階の裏の駐輪場にまわり、マウンテンバイクの鍵《かぎ》をあける。天気予報ではその日の最高気温は四月終りなみに上昇したといっていた。自転車で走りだしても、風が生ぬるくやわらかに頬を滑っていく。ぼくは薄暗くなった堤防沿いの道をしっかりとペダルを踏んですすんだ。

佃公園のベンチにはすでに三人が顔をそろえていた。これでこそ四人組だ。だが、どこかがちょっとおかしい。ナオトのカーボンファイバー製の高級品、ぼくと同じジュンのトレックのマウンテンバイク(ぼくのは青でジュンのは赤)。そこまではいつも同じだった。だが、いつもなら近くで横倒しになっているはずのダイのママチャリが見あたらなかった。その代わりに見たことのない自転車が、三人のまえに誇らしげにとめられている。

淡いブルーのY字型フレームに二十六インチのタイヤ、ブレーキは前後輪ともにディスクブレーキだ。リアのサスペンションはエアとスプリング併用タイプだった。パーツはすべてシマノのプロ仕様。フレームの中央にはGIANTのロゴがはいっている。

それはとてもきれいな空色のマウンテンバイクだった。かすかに残る夕日をななめに薄く浴びて、金属のパーツの角にはピンク色の輝きが伸びている。

ぼくは自転車をとめて、ベンチのまえの敷石に座った。

「いい自転車だね。ダイ、これどうしたの」

ジュンがベンチを離れて、ぼくの横に座った。正面からダイの話をきこうというのだろうか。ナオトも地面に腰をおろした。ダイはひとりで木のベンチのまんなかに座っている。ぼんやりと新しい自転車を見ながらいった。

「今日の午後、急にサイクル岩田から電話がかかってきたんだ。注文のマウンテンバイクが届きましたって」

その店はパンク修理なんかでよくつかう清澄通り沿いの自転車屋だった。

「うちでは誰も注文してないから、どんな自転車かきいてみたんだ。そしたらジャイアントのやつだっていう。あれこれ細かな仕様を変えたから、注文から一カ月以上もかかったんだって」

それならまだあの日のまえの話だ。ナオトがちいさな声でいった。

「それじゃ、ダイのおやじさんが……」

ダイはあちこちに点々と明かりの灯る高層マンションを見あげていった。

「あのクソおやじ、くたばる二、三日まえにめずらしく荒れてないときがあったんだ。それでなぜかほしいものはないかなんていう。おれはママチャリでみんなと走るのはしんどいから、新しいマウンテンバイクがほしいっていった。ブランドはあれがいい、特注のハンドルバーをつけて、タイヤはどうせ街を走るんだから、ブロックパターンのオフロード用よりスリックがいい。おやじはうんうんとうなずいていたよ」

腹から息を吐いて、ダイは空を見あげたまま、耳のほうへ涙をこぼした。

「おれを驚かそうと思って頼んだらしいんだ。金だってぜんぜんないくせに。そのマウンテンバイクは全部おれの注文したとおりなんだぜ。笑っちゃうだろ。頭金だって一万円しか払ってない。残りは十八カ月のローンなんだ。自転車買うのに一年半だぜ。

あとはおれがアルバイトして払わなくちゃならない」

ぼくは我慢できずに泣いてしまった。ジュンはメガネのしたに指をいれて涙をぬぐうと、なんでもない振りをした。ダイが空を見ていった。

「おれはおやじが憎いよ。あの日の夜だって、ひどいもんだった。どこの家だって日曜日の夜には特別な雰囲気があるだろう。明日からまた新しい一週間が始まるってさ。おやじは夜中に帰ってくると、家族全員をたたき起こして、理由もなくののしり散らした。おふくろには女としての魅力がなく、おれは大飯ぐらいのごく潰《つぶ》しで、弟はいくじなしのオカマ野郎だそうだ。とめようとしたおふくろやおれをなぐる蹴《け》る。散々騒いで夜中の二時にひっくり返った。それで寝たまま畳の部屋のまんなかに泥水みたいな糞《くそ》を漏らした。ズボンをはいたままだぜ。おれは思ったよ。これから雑巾《ぞうきん》でこいつの糞を畳の目からぬぐって、その臭《にお》いのなかで朝まで眠るんだ。明日はたのしい月曜日だなって」

ぼくたち三人は黙ってダイの声をきいていた。なにもなぐさめる言葉なんてない。

「おれはズボンを着替えさせようとするおふくろをとめて、良平といっしょにおやじを外に引きずりだした。臭くてたまらなかったから、バケツの水をぶっかけてやった。おやじはちょっと身体を丸めただけで平気なようだった。それで部屋にもどって寝た。

朝になったらやつは死んでた。驚きはしたが、おれは泣かなかった。これでようやくあのおやじから自由になれる。たいへんなことだとは思ったけど、心のなかじゃほっとしたんだ」

夜が空からおりてきて、あたりを包んでいった。遠くの佃大橋から滑るような自動車の走行音がきこえる。公園の水銀灯がまぶしかった。

「うちのおやじは最低だよ。死んじまったあとで、おれにこんなプレゼントをする。ずっと憎んでいたかったのに、簡単に憎ませてもくれない。この自転車を見て、あのおやじにも優しいところがあったんだって、おれは何度も思いだすだろう。よほど隅田川のなかにたたきこんでやろうかと思った。でも、できなかったんだ。おれは自転車屋から家までずっと泣きながらこいつを押してきた。おやじが死んでから泣いたのは初めてだった。ジュン、テツロー、ナオト、信じられるか」

ダイはもう涙を隠そうとはしなかった。ぼろぼろと泣きながら、ぼくたちの顔を順番に見ていく。

「あのクソおやじにもほんとに優しいところがあったんだよ。おれはそのおやじを殺した。それでおやじがもし生きていたら、きっとまた同じことをやるだろうとわかってるんだ。おれは人殺しになっちゃったんだ。おれなんかといっしょにいると、みんなにもきっと悪いことが起きる。あの手紙はうれしくて何十回も読んだよ。返事だって書きたかった。でも、もうみんなといっしょにはいられないんだ」

ダイは吠《ほ》えるような声をあげて、頭を抱えて泣いた。ぼくたちはベンチにもどり、ダイの肩に手をそっとのせた。しばらくのあいだ、ただいっしょに泣くことしかできなかった。ジュンがようやく声を抑えていう。

「悪いことなんて起きない。一番悪いときはもうすぎたんだ」

いつもは皮肉なジュンの声がきいたことがないほどやさしかった。ぼくも我慢できずにいった。

「もしおやじさんがダイやおふくろさんや良平くんのことを恨んでいるようなら、相手が骨だろうが幽霊だろうがぼくたちが黙っていない。絶対ぶっ飛ばしてやる。きっとおやじさんもわかってくれる。そのためにこの自転車が届いたんだ」

ナオトがこめかみを押さえていった。

「あーあ、泣きすぎて頭が痛くなっちゃった。ねえ、ダイ、来週からさ、Aグループなんかやめて、ぼくたちのところに帰ってきなよ」

ダイはいやいやをするように頭を振った。

「もうむりだ。見ろよ」

トレーナーの左袖《そで》をめくりあげる。ひじの内側のやわらかなところに黒い火傷《やけど》の跡があった。

「こいつがグループの印で、もう簡単には抜けられない。抜けるといったら、ひどいリンチだ」

ジュンが濡《ぬ》れたまつげでぼくを見た。うなずいてぼくはいう。

「ダイはほんとによくがんばった。今度はぼくたちの番だ。あいつらのことはまかせてくれ」

何度も深呼吸をして頭を冷やし、また四人にもどったぼくたちは別れた。夕食の時間に三十分も遅れてしかられたけれど、ダイのことだというとうちの親は納得してくれた。父親はしっかり支えてやれなんていう。もちろん、ぼくはしっかりとダイを支えるつもりだった。

月曜日の放課後に、今度は四人でとなりのクラスにいった。Aを呼びだす。ぼくたちの引きつった顔がよほどおもしろいらしい。にやりと笑っていった。

「なんだ。もう金ができたのか」

ジュンがいった。

「金はないけど、ダイは返してもらう。どこかで話したいんだ」

Aグループのあいだで驚きの視線がいききした。Aはいう。

「なんだよ。もう足抜けか。それじゃ校内はむりだな。五時にエースレーンの駐車場に四人でこい。逃げるなよ」

ナオトが震える声で最後にいった。

「逃げないよ。そっちこそ必ずこいよ」

そのあと、ぼくたちは家に帰らず、西仲通りの流行《はや》らないもんじゃ屋にいった。月島に住んでいるとあまりもんじゃなんていかないけど、その日はそんな気分だったのだ。明太子チーズの餅《もち》いりとソーセージカレーのベビースターラーメンいりを頼んだ。ダイは得意のキリンレモン一気のみを見せてくれる。七秒フラット。これから月島一の不良グループと対決する割には、ぼくたちには余裕があった。

ダイの悲しみや離ればなれのひと月近くにくらべたら、どんなに怖いグループだってとるにたりなかった。五時十分まえに店をでると、ぼくたちは歩行者専用になった西仲通りを横一列に肩をならべ、運河のそばのボウリング場にむかった。

東京エースレーンは混雑しているのを見たことがないボウリング場だ。そのときも駐車場のほとんどは空いていて、人影も見あたらなかった。長身のAがいった。

「よくきたな」

むこうはAを中心に全部で五人だった。腰ばきのオーバーサイズジーンズにセーターやダウンジャケットをだらしなくあわせている。Aは自分の爪《つめ》を確かめながら、にやにや笑いをやめなかった。

「どうしたいんだ、ダイ」

ダイは胸を張ってまえにすすみでた。ここにいる九人のなかでも、一番ウエイトがあって身体《からだ》がでかいのはダイだ。

「おれはこの三人のところにもどる。今日はなにをされても文句はいわないが、こいつらには手をだすなよ」

ダイは覚悟を決めたようだった。Aのグループがダイをとりかこむように広がった。

両者の距離が縮まっていく。

「ちょっと待ってくれ」

ジュンがかん高い声で制止した。ポケットから携帯電話をとりだし、頭のうえにあげてみせる。

「やりたきゃ勝手にするといいけど、そのまえにこれをきいてくれ」

ジュンは携帯の再生ボタンを押した。ちいさなスピーカーからAの声が流れだす。

「そうだな。ひとり十万で、三十万でどうだ。友達ひとり、悪のグループから救うんだから、それくらいなら安いもんだろ。金が集まったら、また顔だしな。それまでダイはあずかっといてやるよ」

声はそこで途切れる。ジュンがうなずいてぼくを見た。ぼくはポケットから、月島署の島田さんの名刺を出して、小走りでAにわたしてやる。少年課第二係　警視庁巡査部長。実物の名刺を見てAの顔色が変わった。

三人のところにもどると、ポケットから携帯をだした。ナオトも同じようにする。ぼくたちはいっせいに再生のボタンを押した。

「そうだな。ひとり十万で、三十万でどうだ……」

三つの携帯から微妙にずれて、Aの声が流れた。ぼくはいった。

「あのときにジュンの携帯で、そっちの声を録音していた。これは立派な脅迫だよな。登録した番号を押せば、この場でその島田主任にきいてもらうこともできる」

ジュンがいった。

「声は携帯だけでなく、うちのパソコンにもナオトやテツローのところにもファイルしてある。ダイをリンチにかけるのはやめろ」

ジュンはぼくたちを見てうなずいた。ナオトとぼくはうなずき返した。

「その代わり、ひとり一発ずつなぐっていいよ。でも二発目はなしだ。それでほかの生徒にも示しがつくだろ。その代わり明日からダイはそっちのグループとはなんの関係もなくなる。それでいいだろ、もちろんこっちも少年課に通報なんてしない」

しぶとくにやにや笑いを続けながら、Aはわかったといった。ぼくたち四人は順番に一発ずつなぐられた。がつんとこぶしが頰にあたると、火傷でもしたように熱くなる。だけど、ダイの痛みにくらべたら、一発なぐられるくらいなんでもなかった。ぼくたち四人は頰を熱くしたまま、悠々とエースレーンの駐車場をあとにした。

実際はそれほど余裕なんてなかったかもしれないけど、ぼくの頭のなかでは荒野の決闘に勝利したガンマンみたいなうしろ姿だった。駐車場をでると、誰からともなく走りだした。春のような風を受けて、ぼくたちは笑った。

ジュンはいう。

「自分の声をきいたときのやつの顔は見ものだったな」

「ほんと」

ジュンの録音したAの声は添付ファイルで、ぼくとナオトの携帯に送られていた。そこからパソコンに移すのなんてわけないくらい簡単だ。壊れかたではかなわなくても、頭のほうならあんなやつらに負けるはずがなかった。

西仲通りにもどるとたくさんの提灯《ちょうちん》に灯がついて、あちこちのもんじゃ屋のまえに行列ができ始めていた。見あげると佃の超高層ビルが澄ましてそびえている。ぼくにはやわらかな風のなか、澄んだ夕空を駆けていく空色の自転車が見えた気がした。だけど、きっとあれは幻じゃなかったはずだ。ダイとジュンとナオトとぼく。四人がそのとき見ていたものが同じだったのは、絶対に確かなのだから。

十五歳への旅

廊下を歩いてくる足音がした。ぼくたちはテーブルに広げられた情報誌や風俗誌をまとめて、白い革のソファのしたに蹴《け》りこんだ。ジュンはキーホルダーの先についたレーザーポインターで、壁に張られた房総半島の地図をさす。夜店で五百円で買った香港《ホンコン》製ポインターの赤いドットが、きれいな長方形の形をした月島の埋立地のうえをぐるぐると動いた。ナオトが廊下のほうを見ながらいった。

「やっぱり初日の木更津までの八十キロが厳しいな」

東京湾沿いの歪《ゆが》んだ半円形のルートは、ほとんど市街地のピンク色だった。ジュンは人さし指でメガネの位置を直した。

「ジロ・デ・イタリアの一日あたり走行距離は、だいたい百六十キロだ。むこうは高地訓練なんかもした怪物みたいなプロのレーサーだけど、半分くらいならぼくたちでもなんとかなると思う」

ダイが銀座あけぼののげんこつを、音を立ててかじった。

「やっぱりナオトのうちは金もちだな。おれたち用のおやつが銀座のブランド品なんだからさ。うちなんて駄菓子屋の徳用袋ばかりだぜ」

こつこつとドアをたたく音がして、ナオトのおかあさんが顔をだした。

「はい、お茶のお代わり。みんな、熱心ね」

ソファの色と同じ白のセンターテーブルのわきに、新しいポットをおいた。壁の地図を見あげて、ナオトのおかあさんはいった。

「こうしてみるとずいぶん遠いなあ。食事はだいじょうぶなの、ナオト」

ナオトはうんざりした目で母親を見た。

「千葉は外国じゃないよ。ぼくたちだって自炊くらいできるし、困ったらコンビニだっていくらでもある。ずっと海沿いの国道を走るんだ」

ジュンはナオトのおかあさんを安心させるようにいった。

「ぼくも料理は得意だし、ナオトの身体《からだ》にあわせたメニューも考えてあります。三日間くらいだから、だいじょうぶです」

ぼくたちのなかで一番成績優秀でおばさんの受けがいいジュンが、すこし照れたような笑顔でそういった。テレビの通販番組の司会でもやればいいのに。ジュンならどんながらくただって日本中の主婦に売れるはずだ。

「もういいから、あっちいってよ」

ナオトがとげのある声でそういうと、ナオトのおかあさんははいはいと背中越しにいって部屋をでていった。スリッパの足音がカーペット敷きの廊下を遠ざかっていく。みんなの背中から緊張感が薄れて、力の抜けた丸さがもどった。ウェルナー症のナオトは若年性の糖尿病に加えて、高血圧の気もある。塩からいものは禁止されているのだ。テーブルのげんこつをひとつつまむと、口の端に老人のような細かなしわをよせて半分かじった。

「まったくうるさくてしょうがないよ。これ、昔ぼくの大好物だったんだ。ダイ、残りは頼む」

ナオトは手首のスナップで空洞のなかまで醬油《しょうゆ》が染《し》みたげんこつを投げた。絶妙のコントロール。ダイは大口を開けて受ける。

「サンキュー」

ダイは目もあげずにソファのしたに手を伸ばし、ファッションヘルスやソープランドやストリップ劇場が満載の風俗情報誌を取りだした。特集は「Hのワンダーランド！ 新宿」。表紙はどこかのヘルス嬢が肩にいれたペガサスの刺青《いれずみ》とGカップの胸を、誇らしげに見せつける写真だ。もうアリバイづくりは終了だった。

なぜ、こんなことになったんだろう。ぼくはぼんやりとナオトの部屋から、バルコニーのむこうを眺めていた。最初はほんとうに自転車旅行をする予定だったのだ。三月の春休み中、房総半島の最南端・白浜を往復する保護者のいない二泊三日。だけど、ナオトの部屋に集まって何度か作戦会議を開いているうちに、誰がいいだしたのかまったく方向が変わってしまった。

爽《さわ》やかな汗をかきながら、房総フラワーラインを自転車で走るなんて、ぼくたち四人には似あわない。そんな健康的な旅行より、どこかあぶない街にいって精いっぱい大人の世界をのぞいてやろう。いつのまにか結論が百八十度変わってしまったのである。白浜のキャンプ場の代わりに、新宿中央公園でホームレスに混じってテントを張るのだ。まあ、そちらのほうがどきどきするほどスリルがあるのは間違いなさそうだけど。

アルミの手すりのむこうには、たたきだしの鍋底《なべぞこ》みたいに東京湾が光っていた。空は晴れているのか曇っているのかわからない天気。なんだか間の抜けた春の夕方だった。そのときダイがいった。

「なあ、今回の旅の途中でさ、全員なにかひとつずつ誰にもいってない秘密をばらすことにしないか」

ダイの指先は東京デートクラブとタイトルのはいったページを開いていた。下着姿の女の子がなぜか自分の目だけ手のひらで隠している。ナオトがいった。

「いいよ、ジュンは」

ジュンは厚いメガネの奥、冷たいくらいに冴《さ》えた目をまるで動かさなかった。

「ぼくもいい、テツローは」

自分に秘密なんてあるのだろうかと思った。ぼくはダイやナオトやジュンと違って、飛び抜けたところ（体重や病気や頭脳）なんかなにもない普通の十四歳だ。

「わかった。なにか考えておく」

そういってすっかり頭のなかにはいっている予定を確認する。

「明日の朝、七時に佃《つくだ》公園に集合だよね」

ナオトは芝居がかった声をだした。

「すっごくたのしみだなあ」

全員の親に嘘《うそ》をついて新宿を三日間も遊び歩くなんて想像すると、ぼくまでどきどきしてしまった。ジュンはレーザー光線でダイが開いた風俗誌のページをさした。星条旗のブラジャーのうえで赤いドットが揺れている。

「ぼくはその金髪のグラマーがいいな。明日は早いから、今日はこんなところで解散にするか」

ぼくとナオトがうなずくと、ダイは鎌倉彫の菓子皿から残りのげんこつをすべてさらい、オーバーオールの胸ポケットに詰めこんだ。

「うちの弟の分な」

ぞろぞろと一列になって廊下をリビングにもどり、ナオトのおかあさんに挨拶《あいさつ》する。高速エレベーターはほんの十数秒で、地上百メートルの超高層からぼくたちを地上におろしてくれた。


出発の朝もはっきりしない天気だった。まぶしい薄曇りの空から、あたたかな日ざしが注いでいる。地面に落ちるのは輪郭のはっきりしないぼんやりした影だけだった。佃公園のソメイヨシノは淡く色づいた芽を枝先にびっしりとつけていたが、まだ花まては時間があるようだ。

隅田川の堤防のうえをとおる遊歩道にマウンテンバイクの前輪をそろえた。眠そうな川面からぽんぽん蒸気の音がする。対岸の築地や銀座のビル群はまだ一様に早朝の灰色に染まっていた。ジュンが腕時計を見た。

「七時だ。いくか」

ドラマチックでも緊張もしていない声。ダイはどうでもいいようにうなずき、ナオトがうんといい、ぼくはペダルをまっ先に踏んで堤防をおりる坂道に一番のりした。このあたりは都心まで目と鼻の先なので、サラリーマンのラッシュアワーまではまだ一時間以上あるのだ。月島の朝はとても静かだ。

ぼくたちは生ぬるい春の風を切ってもんじゃ屋のならぶ西仲通りを走った。パチンコ屋、焼き鳥屋、雑貨屋に洋品店、どの店もシャッターをおろしたままだ。狭い一方通行路の両側がアーケードになったいつもの商店街を、二列になってすすむ。ゆるやかなアーチ状になった運河の橋をわたるとその先は勝どきだ。

最初にぶつかった大通りを右に曲がった。こっちではさすがに交通渋滞が始まっていた。工事車両やトラックがのぼり車線を埋めて、勝どき橋までの長い坂道をゆっくりと動く城壁にしている。ぼくたちみたいに埋立地に育った人間には、隅田川をわたるということにけっこう意味があるのだ。人工の島から陸地にいく、東京の端っこから中心にいく、そんなイメージだ。ほかの三人よりも荷物をたくさん積んだダイは、のぼり坂で早くも汗をかいているようだった。

「くそー、きついなあ」

首に巻いたタオルで額をぬぐうと、片手ハンドルの自転車がふらついた。ダイの父親が死ぬ直前に注文していったマウンテンバイクだった。ぼくとジュンはギアを落とさず一気に長い坂道を駆けのぼった。ぎしぎしと鉄骨のきしむ時代ものの橋のたもとで、ギアを落としたふたりを待つ。橋のうえではしたでは感じられなかった海風が吹いて、うっすらと汗をかいた背中を冷ましてくれた。ジュンは片足を欄干にかけていった。

「この橋が毎日跳ねあげられていたなんて信じられないな」

それはほんとうのことだった。トレーラーがとおるたびに揺れる橋の中央にはすきまがあって、そこをのぞくとはるか下方に水面が青く落ちている。昔はサイレンを鳴らし、信号灯をつけては、一日に何度も橋はあがっていたらしい。その角度は七十度。きっとすごい見ものだったに違いない。

「最初の休み、どこだっけ」

おいついてきたダイがあえぎながらいった。

「混雑するまえに銀座を抜けるんだ。最初の休憩は四谷だ。ダイ、いくぞ」

ジュンがひと声かけて、映画のセットのような勝どき橋をぼくたちはわたった。なんだってそうだけど、ものごとの始まりにはなにか不思議なエネルギーがある。そういうのはだいたい期待はずれに終わることが多いのだけど、それでもつぎになにかを始めるときにはまた同じときめきを感じるのだ。

その朝、隅田川は青く、海風は背中に心地よく、空はまぶしく曇って、都心は朝もやでかすんでいた。ぼくたち四人が長い坂道を駆けおりたとき、口々に意味不明の叫び声をあげていたのはとても自然なことなんだ。

右手にイスラム寺院みたいな築地本願寺、左手に中央卸売市場を見ながら、晴海《はるみ》通りを走った。この時間は市場の人たちが働いているころなので、でいりする車両が多かった。晴海通りは銀座に遊びにいくとき、ぼくたちがいつもつかっているルートだが、その朝は普段よりいきいきしていた。あれはなんというのだろうか、丸いハンドルのついた立ったまま運転する小型トレーラーのような電動自動車が、魚でいっぱいの台車を引いて水すましのように走りまわっている。

築地を抜けて、首都高速を越える陸橋をわたり東銀座へ。なんだか冗談みたいな歌《か》舞《ぶ》伎《き》座の建物をすぎると、もう銀座だった。朝の銀座は買いもの客の街ではなく、ここで働く人たちの街だった。さすがに一流店ぞろいで店のまえの歩道はきれいに掃除してあり、ぼくたちの自転車は打ち水をはねて走った。曇り空からときおり日ざしがこぼれて、明かりのついていない晴海通りのくすんだネオンサインを鮮やかに照らす。いくら人が多すぎて、排気ガスで空気が汚れていても、やはり都会はよかった。ぼくは緑のなかよりも雑多な店のなかを走るほうが断然好きだ。

銀座から日比谷まではほとんどひとつながりのビルのような印象だった。交差点のむこうに皇居のお濠《ほり》と日比谷公園の緑が見えて、ようやく銀座を抜けた気分になった。赤信号で待っているとタオルで汗をぬぐいながらダイがいう。

「ああ、きつかった。四谷はまだだいぶ先だよな」

ジュンは青信号にそなえて、ペダルにのせたつま先の位置を直した。

「ここからの二キロは勝どき橋の何倍もきついぞ。ずっとゆるやかな坂道だからな。気あいをいれていこうぜ」

信号が青になってまっ先に飛びだしたのは、ナオトとジュンだった。ぼくはダイとならんで最後尾をいく。お濠ばたの遊歩道は格好のサイクリングコースだ。桜田門のあたりまではさしてきつい坂道ではないから、右手に涼しげな水面を眺めながら気分よくペダルを踏むことができる。左手は首都高なみのスピードで自動車が飛ばしていくから、なるべく見ないようにした。ぼくは振りむいてダイにいった。

「だいじょうぶか。きつかったら、休みを取るようにジュンにいうけど」

ダイは空色の自転車にかぶさるように中腰でこいでいた。

「ああ、だいじょうぶ。おれ、きつくなってからがタフなの」

二重あごの先から汗のしずくを垂らしながらそういった。にやりと笑う。それでこそ、うちのチームのダイだった。ぼくはうしろのギアを二段落とし、しっかりとペダルを踏みにかかった。

だが、桜田門の先、三宅坂《みやけざか》から半蔵門までの坂道はさすがにきつかった。なにせ日比谷ではすぐ手の届くところにあったお濠の水面がどんどんしたに落ちていくのだ。水面の位置は変わらないので、道はおおきく皇居の形に沿ってうねりながら、急激に傾斜を加えていくのである。ぼくはあまり汗かきではないけれど、すぐにダイと同じようにタオルを首に巻くことになった。それはジュンやナオトも同じだ。ダイがだいぶ後方から声をかけてきた。

「テツロー、おれが今なに考えてるか、わかるか」

坂のうえから吹いてくる風にむかって叫んだ。

「昼めしのことだろ、どうせ」

「違うよ。帰り道はこの坂を、ずっとペダルを、こがずにおりてやる。それだけ」

ぼくは笑った。自転車はすごく便利なのりものだけど、むかい風とのぼり坂には極端に弱いのだ。その分くだりは何十倍も楽になる。もしかしたらダイのいうとおり半蔵門から日比谷まで、一回もペダルを踏まずに到着できるかもしれなかった。

三宅坂をすぎて、無愛想な積み木みたいな最高裁を横目に皇居の周回路をのぼり続けた。このあたりまでくるとお濠は緑の急斜面のはるかしたにたまってる濁った筆洗い用の水と同じだった。坂の部分をほぼあがり切った東京FMのあたりで、ジュンとナオトは休息していた。ガードレールにマウンテンバイクをもたせかけ、自分たちは歩道わきの芝に腰をおろしている。こちらにむかって手を振った。

「早く、こーい。出発しちゃうぞ」

冗談じゃない。ぼくはダイにつきあうのをやめて、胸にひきつけるようにハンドルをにぎりしめ、腹筋をつかってしっかりとペダルを踏み抜いた。ジロ・デ・イタリアの難所には、わずか十三キロのあいだに標高差千二百メートルを駆けあがる猛烈なセクションがあるという。最大勾配《こうばい》は二十パーセントを軽く超えるそうだ。どんな世界でもプロというのは化けものだと思った。ぼくには日比谷から半蔵門まで、五十メートルものぼるのが精いっぱいだ。それでも春の日ざしとやわらかなむかい風のなか、全身の筋肉を左右交互につかって坂道をじりじりとのぼっていくと、突然お腹の底から笑いたくなってくる。

勉強のこと、高校のこと、社会にでてからの仕事や恋愛なんかのこと、普段は口にしない不安のすべてを、思い切り笑い飛ばしたくなったのだ。ぼくは息を荒くして、マラソン選手のように二拍ずつ鼻から吸い、口から吐きながら、ひとりで笑っていた。お濠の対岸の緑は手いれのされていないジャングルみたいで、遠くあとにした霞が関の官庁街はガラスのさいころのようだった。世界は始まったばかりの春のなかにあって、なにもいえなくなるほど美しく、大声で笑いたくなるほどばからしかった。

そのとき、ぼくがどうしたかって？

ぼくはジュンとナオトが休んでいるところまでいき、マウンテンバイクを芝のうえに倒した。ウインドブレーカーを脱ぐと腰に巻きつけ、自転車のフレームについたホルダーからボトルを取った。なかには朝家をでるときに氷をいっぱいにつめこんであったのだ。ボトルは垂直、顔は空をむく。目を開けると淡い雲が切れて、まだらな青空がのぞいていた。滝のようにのどを落ちた水のうまさ、冷たさ。ぼくは半リットルの水をのみ、そのまま芝のうえに倒れこんだ。

ダイが到着したときにはみんな立ちあがり、拍手で迎えてやった。やつはアカデミー賞受賞の挨拶みたいにおおげさに拍手を静める。

「出迎えご苦労。でも、おれもちょっと休ませてくれ」

そういうとダイは頭からボトルの水をかぶり、芝に倒れこんだ。


半蔵門からはひたすら西に新宿通りを走るだけだった。四谷までの一キロは鼻歌をうたうくらい軽かった。通りは朝のラッシュアワーだが、幅の広い歩道を通勤する人たちを避けながら走った。

四谷見附をすぎて最初に目についたファミレスで早めの昼食にした。四人とも一番安いランチメニューを選んだ。通りに面した窓の外には平日のビジネス街が、ぼくたちには無関心に広がっている。ナオトがひと息で氷水のコップをのみほしていった。

「なんだか、ばかみたいだな。電車なら二、三十分でいける新宿まで、こんなに苦労するなんてさ」

ダイは口のなかでばりばりと残りのロックアイスをかみくだいた。

「そうだな。なんかいつもの遠出とぜんぜん変わんないし」

注文のイタリアンハンバーグが届くと、みな無言で飛びついた。朝の五時半から起きていると昼にたべる最初のひと口はもう魔法みたいなうまさになる。その店はランチタイムのごはんのお代わりが自由だったから、普段は小食なナオトでさえ二枚目を頼んでいた。ダイはたっぷりとチーズのかかったハンバーグをおおきく五つに切り分け、小皿のライス一枚にひと切れの割合でたいらげていった。おかずが足りなくなると、塩を振ってごはんを崩していく。店にしたら迷惑な客だ。

昼まえなのでがらがらの店内でコーヒーと冷水をお代わりしながら、三十分ほど食休みをした。昼食を終えて外にでると、街はようやく朝から昼の顔になっていた。ジュンはポケット地図を見ていった。

「ここまできたら、もう新宿なんてすぐだから、ゆっくりいこう。歩行者も信号も多いから、無理して急いでもあんまり時間は変わんないと思う」

ぼくはサドルにまたがりながら、新宿まで丸ノ内線の駅でいくつあるか考えてみた。丸ノ内線はちょうどぼくたちがいる新宿通りのましたをとおっているのだ。四谷三丁目、新宿御苑《ぎょえん》前、新宿三丁目、新宿。どれも地下鉄にのっているときには、新宿の近くの駅というイメージしかない駅名ばかりだった。

新宿御苑をすぎると、だんだんと街のイメージが変わっていった。オフィス街からデパートや映画館なんかがならんだ繁華街になる。歩道は四角いコンクリートタイルから白い大理石に、街灯は明るいだけの素っ気ないモダンデザインからガス灯をまねたちいさな笠《かさ》つきのガラス製になる。

ひるすぎの新宿の人出は平日でも圧倒的だった。誰もおりはしなかったけれど、伊《い》勢丹《せたん》や紀伊國屋《きのくにや》のまえでは、いくら高性能のマウンテンバイクでも腕を組んで散歩するカップルと同じ速度になる。スタジオアルタの電光掲示板のしたで、ぼくたちは自転車をとめて記念写真を撮ることにした。おのぼりさんみたいだが、こんなことは東京に生まれてもめったにできないことなのだ。

ナオトは八百万画素あるという新しいデジタルの一眼レフで、デートの相手を待つ人たちのなかで妙に浮いたぼくたち三人を撮影した。なんだか修学旅行みたいだった。ひとりずつ交代で全員がはいるように四枚撮ったのだ。頭上のディスプレイではタモリとレギュラータレントが百万回目のリズムゲームをやっている。ジュンがブラウン運動みたいに対流する東口広場の人波を眺めて、マウンテンバイクにまたがった。

「なんだか繁華街っておもしろいよな。みんな、自分はいかに自由に時間がつかえて、どれだけ金もちかってことを見せびらかしてるみたいだ」

ダイが続けた。

「それに、自分がどれだけもてるかってこともな」

確かにそこにいる人はみなおしゃれで、自由で豊かであるように見えた。みんな見えかただけ工夫するのがうまいのだ。

空気の湿ったJRのガードを抜けて西口にでた。何本かの線路をくぐっただけで新宿はぜんぜん違った顔を見せるようになる。西新宿の高層ビル街を自転車で走るのは、まるで『ロード・オブ・ザ・リング』の特撮シーンにまぎれこんだようだ。

東京の空を支える数十本の柱の足元には、意外なくらい緑のスペースがあり、きちんと整地された巨大な公園のなかを駆けている雰囲気になる。通行人の数だって歌舞伎町や南口ほど多くはないから、どこか雰囲気が優雅なのだ。ぼくたちは宇宙基地のような都庁のまえで自転車をおり記念撮影した。

「さーて、今夜のキャンプ場を見にいくか」

ダイがそういって、空色の自転車にまたがった。都庁の第一庁舎と第二庁舎のあいだを抜けて、公園通りをわたった。西新宿の高層ビル街が終わり、急に緑が濃くなる。ぼくたちが二日間泊まることになる新宿中央公園だ。この公園は新宿御苑ほど広くはないけれど、あそこと違って夜になってもゲートが閉まって出入り禁止になることはなかった。

ぼくたちは自転車でまずゆっくりと長方形の公園を一周した。南北に五百メートル、東西に三百メートルほどあるかなりの広さの公園だった。なかには円形の広場や区民ギャラリー、神社に噴水なんかもある。もちろん公衆トイレの場所はしっかりチェックする。あちこちの緑のなかに青いシートをかけたダンボールハウスも目についた。ここならテントを張るにも、問題はなさそうだった。

公園を二周して熊野《くまの》神社の裏手にいい場所を見つけると、そのまま近所を探検した。十二社《じゅうにそう》通りに沿ってしばらく走ると、セブン－イレブンとａｍｐｍの二軒のコンビニがあった。青梅街道のほうにさらに百メートルほどで梅月湯という銭湯を発見する。ぼくたちはビル街の銭湯のまえで、記念写真を撮り、交互にハイタッチした。だって不安だった宿泊場所も問題なさそうだし、風呂と食事の心配もなくなったのだ。あとはこの街で二日半遊びまわるだけだ。

公園側は人目が届かなそうなので、通りをわたった反対側の広い歩道に自転車をとめた。二台ずつワイヤー錠でまとめ、さらにガードレールのパイプにチェーンでしっかりとつないだ。ダイはおやじさんの形見の自転車なので、ものすごく入念に鍵《かぎ》をかけていた。

各自が自転車のキャリアからおろした荷物は、ナイロンのおおきなダッフルバッグがひとつにウエストポーチがひとつだった。男の子の旅行二泊くらいなら、荷物などたいした量ではない。テントだって五人用の簡易型で、わずか五キロの重量しかないのだ。

「さて、荷物をかたづけにいくか」

ぼくたちはうなずいてケヤキ並木の影を歩きだした。十二社通りを先ほどの銭湯の近くまでいき、コインロッカーにバッグを詰めこんだ。これでようやく身軽になれる。マウンテンバイクと荷物をかたづけると、ぼくたち四人は新宿のはずれで顔を見あわせた。ダイがにやりと笑っていった。

「なあ、おれたちってけっこうワルだよなー」

ぼくはみんなの格好を見直した。オーバーサイズのウインドブレーカーにカーゴパンツ、腰には長いチェーンのついたウエストポーチをつけている。十代なかばのヒップホップグループみたいだ。ナオトは白髪まじりの頭を振って、ハンドサインをだした。

「イェー、おれたちスーパーバッドだな」

ぼくもつま先から電気が走ったみたいに身体を痙攣させた。最近覚えた感電のダンスだ。

「ほんとに、クール」

「ガキ」

ジュンは最後を締めるとポケットに手をいれて、まだらに日ざしの落ちる並木道を背を丸めて歩きだした。

中央公園にもどる途中で、最初に口を開いたのはナオトだった。

「ねえ、ぼくがおごるから、ちょっとお茶しない」

ダイがいう。

「のどからからだから大賛成だけど、おまえ、このあたりに知ってる店あるのか」

ナオトは恥ずかしそうにいった。

「うん、あるんだ。なかなか気もちのいい場所だから、これから作戦会議をするにはぴったりだと思うんだけど」

ジュンはちらりとナオトを見た。

「ぼくもいいよ」

「じゃあ、決まりだ。ついてきて」

ぼくたちはそのままナオトのあとについて、中央公園のなかをつっ切った。噴水広場の桜はまだ二分咲きくらいで、花見の場所取りもいなかった。ぼくは明るいうちからシートを広げてあんなふうに場所を確保するなんて反則だと思う。それはディズニーランドのパレードの場所取りも同じだ。なぜ日本ではなんでもああして早いもの勝ちって雰囲気で、行楽先でもとげとげしてしまうんだろうか。

公園を抜けると通りのむかいにまだ新しい高層ビルが建っていた。二階の高さにゆるやかにつながる車寄せのスロープがあって、ひっそりと目立たない英字で「パーク・ハイアット・トーキョー」と書いてあった。ダイは尖頭《せんとう》のかすんだビルを見あげて、情けなさそうにいった。

「ナオトのいきつけって、ここかよ」

ナオトは坂道をのんびりとのぼっていった。

「そう、ここのホテル、たまに気分転換にうちの家族で泊まりにくるんだよね。それで帰りに西口の電気街でおみやげにゲームなんか買っていくんだ」

ぼくはジュンを見た。ジュンは肩をすくめる。

「いいんじゃないか。どうせ、残りの二日半は貧乏旅行なんだから、最初くらい贅沢《ぜいたく》しても」

長身のドアマンがほほえんでうなずきかけてくれた。エントランスをはいると、自然に歩きかたに気をつけるようになってしまう。カーペットが厚いからどんなふうに歩いても足音などしないのだが、それでも足をまえにだすたびにつま先を落とす位置に気をつかってしまった。専用のエレベーターにのってまっすぐ四十一階にあがった。扉がひらくとぼくは息をのんだ。

正面には真っ青な竹の繁《しげ》みが太陽の光りを浴びて背を伸ばしていた。ピラミッドのように閉じたガラス屋根から、自然光がふり注いでいるのだ。三方は高い天井まで方形の窓が積みあがって、新宿の副都心と春の空がどこまでも広がっている。ナオトがいった。

「ラウンジはこっちだよ。どうせ新宿にきたんだから、みんなにこの景色を見せてあげたくて」

ぼくたちは窓際《ぎわ》のソファセットに座った。ひとりがけがよっつならんだコーナーだ。昼間のロビーは静かだった。ウエイトレスがやってきて、メニューをおいていく。ダイが開いてため息をついた。

「コーヒー一杯が千五百円もする。いいのかよ、ナオト」

ナオトはうなずいて、財布からカードを取りだした。金色の光りが目に残る。家族用のゴールドカードだ。ぼくとダイはアイスコーヒーを、ジュンはアイスチョコレート、ナオトはフレッシュジュースを頼んだ。のみものが届いてしばらくすると、ようやく窓の外の景色をゆっくりと眺めるゆとりができた。遥《はる》か下方には白い砂を撒《ま》いたように細かな建物がびっしりと落ちていた。それは目の届く限り遠くまで続き、東京という形のない街を無理やりひと目でわからせようとするみたいな景色だった。ジュンがいった。

「確かにすごい眺めだな。ナオトは自分のうちも高さ百メートルはあるから、いつもこんな高いところから、世界を見おろしてるってわけだ」

普通に話してもジュンの口調は皮肉だった。ナオトは弁解するように白髪まじりの頭を振った。

「そうだけど、うちの親が金をもってるのは、ぼくのせいじゃないから。住んでる場所だって中学生じゃどうしようもないよ」

ダイがアイスコーヒーをのみほすと、ナオトに確認した。

「なあ、ここってコーヒーのみ放題じゃないのか。うちなんて貧乏だから、ナオトんちは単純にいいと思うけどな。金だってないより、あるほうがいいもんな」

ナオトは肩をすくめた。こんな場所で肩をすくめてにあうのは、頭が半分白くて妙に貫禄があるナオトくらいだった。

「ここはお代わり自由じゃないよ。これからどうしようか」

ジュンは窓の外を眺めてぶっきらぼうにいった。

「適当に遊ぼう。こんなところから見てると、なにやってもたいした変わりはないなって気がするけど」

なんだか話がおかしな方向へいっているようだった。ジュンもぼくと同じでこんな高層ホテルにくるのは初めてで、緊張しているのかもしれない。ぼくはとりなすようにいった。

「でもさ、もし房総半島にいってたら、今ごろまだ十六号線で排気ガスまみれになってたよ」

ダイがのんびりとソファの袖《そで》に両手を広げた。

「そうだな。やっぱ、こっちで正解。でも、おれにはここは窮屈だから、のみ放題じゃないんなら、もうおりようぜ。おれは高級なやつより缶コーヒーのがうまいや」

全員賛成のようだった。さっさとのみものを片づけ、ぼくたちはものすごく速いエレベーターで新宿の路上にもどった。

初日の午後はだらだらとすぎていった。歌舞伎《かぶき》町のゲームセンターで遊んで（ジュンはシューティング、ダイは格闘もの、ナオトは音ゲーで、ゲームが好きじゃないぼくは見てるだけ)、南口の東急ハンズでその日の夜に必要な乾電池やキャンプ小物をあれこれと買いこんだ。

いつもの日曜日の外出と変わらないことばかりだった。違うのは場所が銀座・有楽町でなく、新宿というだけだ。それでも副都心の裏通りには、なんだかどきどきするようなあぶないにおいがする。ぼくたちみたいな新宿の初心者は、それだけでもけっこう満足していた。

最初にその店を見つけたのはダイだった。ハンズから紀伊國屋書店にむかう途中の湿った細い路地のなかほどだ。昔風の純喫茶のわきに地下におりる階段が開いている。看板にはでかでかとアダルト。そのしたにこまかな字でコミック・ビデオ・DVD・フィギュアその他とある。エッチなスーパーマーケットみたいなものだろうか。

「なあ、せっかく新宿にきたんだから、ああいう店をのぞいてみないか」

ナオトは不安そうに看板の一番したを指さした。

「でも、18歳未満お断りって書いてある」

ジュンはいつものように冷静だ。

「ナオトは年寄りくさいし、ダイは身体《からだ》がでかいから、なんとかなると思う。問題はぼくとテツローだな」

ジュンは背が低く、ぼくはいってみればありふれた中学二年生だ。

「だけど、むこうも商売なんだから、なんとかなるんじゃないか。マンガだって売ってるらしいし、なにかいわれたら帰ってくればいい」

ジュンはやけにたくさんの照明でまぶしいくらいの階段にむかった。看板のしたに立つと振り返った。

「順番だ。最初はダイとナオトがいけよ。つぎがぼくで、最後がテツローにしよう」

そこで、ぼくたち四人は隊列を組んでAVギャルのポスターが壁が見えないくらい重ねられた階段をおりていった。なんだかロールプレイングゲームみたいだ。ゲームと違うのはこちらの地下のダンジョンがむやみに明るく、どきどきするほどエッチな感じがするところだろう。

階段をおりるぼくの足は震えていたと思う。ひとりきりだったら、絶対にこんな店にはいるのは無理だ。それは先頭をいくダイだって同じようだった。いつもなら筋肉と脂肪ではちきれそうな背中が、なんだかしぼんで丸くなっていたのだから。

アダルトショップのなかは階段と同じように明るかった。壁の棚にならんでいる本やビデオの背が毒々しい原色ばかりだから、なおさらそう感じるのかもしれない。はいってすぐ正面に平積みの台がおいてあり、写真集やＤＶＤの新作が展示されていた。表紙だけでも十分にハードなものばかりだった。なかには頬にべったりと精液をつけたままほほえんでいる美少女なんかもいる。

平積み台の横にあるレジでは学生アルバイトみたいな店員がいて、ちらりとぼくたちを見た。なにもいわずに視線をそらせてしまう。ジュンがささやいた。

「ほら、やっぱりだいじょぶだ」

ダイはフィルムで包まれた写真集を手に取り、裏表紙を確かめていた。

「どうせだから、各自のこづかいでひとりひとつ、記念に買っていこうぜ」

ぼくたちは無言でうなずいて、意外に広い店内に散っていった。ほんとうはガッツポーズでも決めたかったが、ぱらぱらと客のいる店内は奇妙に静かなのでやめておいた。ぼくはエロ雑誌の表紙がすきまなく並んだ棚のまえを歩いていった。そこにあるのはいつも汗をかきながら街の本屋で買っている大人むけ雑誌が、恥ずかしくて逃げだしそうな強烈なものばかりだった。

セックスにはいろいろな好みがあるのだとわかった。どの雑誌もあきれてしまうほどテーマが絞りこまれていて、ピンポイントでマニアむけに編集されているのだ。でも五十代の喪服未亡人専門誌なんて、いったい誰が買っていくのだろうか。

雑誌のつぎはＤＶＤやビデオのコーナーを見ていった。なかにはおもしろそうなものもあったけれど、旅先でこんなものを買ってもしかたないだろう。みんなにまわして、たのしめなければ意味がないのだ。

あちこちに視線を奪われて疲れてしまった。壁際まですすむと背の高さほどのガラスケースがおいてある。完成品のフィギュアがきちんと間隔を取ってならべてあった。ケースの奥は鏡になっていて、フィギュアの背中側の造りがきちんと観察できるようになっていた。マンガやゲームのキャラクター、女子高生や看護婦や海兵隊の制服、もちろんレオタードもオールヌードもあった。どれもリボンのように風になびくカラフルな髪と、顔の三分の一くらいはある瞳《ひとみ》、風船のような胸が特徴だ。

ナオトがぼくのとなりにきていった。

「ぼくはこのフィギュアにしようかな」

中腰になってナオトが一心に見つめているのは、病院のベッドに横たわる薄い胸の少女だった。腕と足と頭は包帯で隠されているが、胴体だけは裸のままで細かな筆づかいで肉体の細部が再現されていた。ベッドの横には点滴スタンドもついている。なかなか見事な出来だった。

「けっこう、いけてるね」

そういって値札を見た。六万九千八百円。驚いてナオトを見るとナオトは恥ずかしそうにいった。

「カードで買っちゃうからいいよ。旅の思い出なら、雑誌とかよりこういうもののほうが残りそうでいいから」

やっぱり世界というのは不公平にできているのだった。ぼくは清純そうな女子高生ものの写真集を探しに、本棚のほうにもどっていった。

その店には十五分ほどしかいなかったけれど、二時間くらいはたった気がした。ぼくたちはそれぞれ戦利品を抱えて、明るい階段をのぼった。外にでるとビルの谷間の路地のほうが店のなかより暗いくらいだった。おりるときはあれほど強烈だった壁のポスターも、帰りにはもの足りないくらいになっている。なんだかエッチなことというのは、すぐに慣れてしまうみたいだった。

ダイが興奮していった。

「どこで見ようか」

ナオトは周囲をきょろきょろと見まわした。路地の先に一時間百円の立て看板をだしたカラオケボックスがある。

「あれ」

ナオトが指さすまえに、ダイとジュンはその店を目指して歩き始めていた。

フロントで四人だというと、やる気のなさそうな店員が同じフロアにある個室にとおしてくれた。部屋のなかはさっきのアダルトショップとは対照的だった。狭くて暗くて、外の路地に似て湿っている。サービスのドリンクにウーロン茶を四つ頼んで、店員がでていくとすぐに自分たちの購入品を店名のはいっていない怪しげな紙袋から取りだした。

最初はジュンだった。テーブルのうえにのせたのは、カラオケの曲集くらいの厚さがある雑誌だ。うちのクラス一の秀才は得意げにいった。

「みんな、ぼくの金髪好きは覚えてると思うけど、これはすごくつかえる本なんだ。この三十年くらいのアメリカのブルーフィルムの女優が全部のってる辞典だ。もうジェニファー・ウエルズも、ヴェロニカ・ハートも、ジンジャー・リンもばっちり」

残りの三人はあきれてなにもいえなかった。ぼくたちの誰ひとり名前のあがったスターを知らなかったのだ。でも、海外のアダルトサイトに飛んで、自分が生まれるまえの女優を調べあげるなんて、やはりジュンの趣味はどこか飛んでいた。ジュンは辞典をぱらぱらとめくったが、誰も中身を見たそうな雰囲気ではなかった。

「変人はちょっとおいといて、つぎはおれね」

ダイが薄手の写真集を取りだした。

「最近ずっと巨乳ブームだけど、ああいうのが好きなのはやっぱりお子さまね」

ジュンは口をとがらせていった。

「でも、おまえ小池栄子とか好きだったじゃん」

ダイはちっちと舌打ちすると、こちらに表紙を見せた。紺色のスクール水着の胸は平らで、つついたように先端の位置だけわかった。

「それは昔の話、今のおれは微乳ブームなの。肋骨《ろっこつ》が浮きだして見えるくらいやせた子がいいんだよ」

「自分がデブだからだろう」

ダイのロリータスクール水着集も、みなあまり見たそうな雰囲気ではなかった。ナオトががさがさと紙袋を開けようとした。あのフィギュアのあとで、自分のをだすのが嫌でぼくは先に女子高生ものをテーブルに放り投げた。誰も選曲していないモニタでは、やけに安っぽい海辺の風景が白々と映っていた。ジュンはぼくの写真集を横にどかした。

「いいんよ、そんなの。どうせ、テツローのは普通のかわいい子が脱いでるだけなんだろ。早くナオトのフィギュアを見ようぜ」

ナオトはしわだらけの指先で透明なアクリルケースをそっとテーブルにのせた。困ったようにいう。

「別にこのフィギュアが特別セクシーだって思ったわけじゃないんだ。でも、病院のベッドの感じとかすごくよくできてるから、なんだか放っておけなくなって。あの店のケースのなかにおいておくのがかわいそうな気になったんだ」

ダイはケースに額をつけるようにして、フィギュアをのぞきこんでいた。ジュンがいう。

「脂《あぶら》つけんなよ」

ぼくもダイといっしょにその変わったフィギュアを見た。顔は目だけ残して包帯でくるまれていた。その目がなんだかひどく悲しそうで、ナオトが気にいったわけがわかった気がした。ダイはケースをもちあげて斜め横から、裸のボディを見た。

「このへそのとこなんか、ものすごく細かく塗り分けてあるよな。ナオトは入院ばかりしてるから、こいつをもって帰って退院させてやればいいじゃん」

普段は誰も気にしていないが、ナオトの病気のことはこんなときに急に顔をだすのだった。この四人のなかで誰よりも早く、この世界からいなくなってしまうのはきっとナオトだろう。ウェルナー症の患者の平均寿命は三十代なのだ。もしかしたらナオトは人生の折り返し点をすでにまわってしまっているのかもしれない。

ダイは一年まえの公園のときのように、手をぱんとたたいていった。

「あのアダルトショップもだいじょぶだったんだから、どうせなら究極にチャレンジしてみないか」

ジュンがいつもよりずっと明るい声をだした。頭がいいだけでなく、敏感なんだ。

「究極ってなんだよ。ダイはまたなんかやらしいこと考えてんだろ」

ダイが自分の胸をたたくと、脂肪が波になって揺れた。

「ちゃんと予習しといただろ、風俗情報誌で。新宿区役所の裏のあたりに、ストリップ劇場があるんだよ。そろそろ夕方になるし、今日の締めに一発のぞいてみようぜ」

ぼくはちょっと怖かったが、ここでそんなことを認めるわけにはいかなかった。

「入場料っていくらなのさ」

ダイが首をひねると、あごのしたの片側だけ三重に暑苦しいしわができた。

「確か五千円くらいだと思うけど。でも、考えてみろよ。ここにいる四人で誰ひとり、実物の女のあそこを見たやつはいないだろう。どうせだからさ、みんなでいっしょに人生初のあれを見にいこうぜ。こんなすごい記念はないだろ」

ジュンがじっとしていられない様子でばたばたと足踏みした。

「それって、すごくいいアイディアだな。抜群の思い出づくりだ。ぼくはインターネットで何百人分も見てるけど、あれっていくら見てもなんだかぜんぜんイメージ湧《わ》かないんだよ。液晶画面には映らないものなのかな、不思議だ」

というわけで多数決を取るまでもなく、アダルトショップよりさらに過激な劇場にぼくたちはむかうことになった。四人とも大切そうに戦利品を抱えていたが、どう見てもこれから素晴らしい生の秘密の目撃者になるというより、死刑台に連れていかれる囚人のようだった。みんな平気な振りをしていたけれど、ぼくたちは心の底からびびっていたのだ。だってたったの十四歳で、女の人のあそこを見てしまうんだ。天罰があたって、交通事故とか恐ろしい病気にでもなったら、どうしよう。

その劇場は普通の中層マンションにしか見えなかった。細い一方通行路の角にある赤いタイル張りのちいさな建物だ。路上に電飾つきの看板がでていて、ようやくその手の劇場だとわかるだけだった。数人の男たちが踊り子の名前と写真が貼《は》ってあるガラスのウインドウをのぞいていた。電線がたくさん走る新宿の裏街の空は、夕暮れの悲しい色に染まり始めている。

今度はしたにおりるのではなかった。劇場のいり口は二階にあった。ジュンが決死の覚悟でうなずき、さっきとまったく同じ順番でぼくたちはタイルの階段をのぼった。ダイがいつもよりずっと低い声でいう。

「大人一枚」

小窓のむこうの中年の男は、ちらりとダイを見て金と引き換えに切符をわたしてくれた。

やった、これでひとり通過だ。つぎのナオトのときはさらにスムーズだった。小柄なジュンとは目をあわせずに切符をだしてくれる。ぼくがまえに立つと、困ったように首を横に振った。それでも、大人の切符はもう窓口においてあった。

「まあ、気もちはわかるけどな。今日はうちを観《み》たら、みんなでまっすぐ帰るんだぞ」

ぼくはぺこりと頭をさげて、開いたままのガラス扉を抜けた。五千円札と交換したチケットが、なんだか宝ものに見える。なかは狭いロビーだった。初老の男の人がひとり、赤いビニールのソファに座ってタバコを吸っていた。

先にはいった三人は心細そうに固まっていた。壁のむこうからはユーロビートの強烈なドラムとベースの音がずんずんと響いてくる。ダイがたるんだ胸を押さえていった。

「おれ、これだけで今回の旅行にきたかいがあったよ。もう明日帰ってもいいや」

ジュンはしっかりとあごを引き締めてうなずいた。

「よし、いこうぜ。みんな、ばらばらになるなよ」

ストリップ劇場にはいるというより、命がけでスペースシャトルにのりこむようだった。映画館のような重いダブルドアを開いた。観客席は薄暗かった。奥にきらきらと光るステージがあり、そこでダンサーが片足を頭のうえにあげてつま先立ちしていた。ジョーゼットのような透ける生地を身体《からだ》に巻いただけで、裸のようだったけれど十メートルも離れていると、あそこなんてぜんぜんわからなかった。

セルフレームのメガネの位置を調節しながら、ジュンが音楽に負けないようにいった。

「なあ、みんなちゃんと見えるか」

ダイは背伸びをして目を凝らしているようだった。

「顔と胸はわかるけど、あそこはだめだ」

ぼくたちはもっとステージに近い席にいくために、立ち見のスペースをじりじりと前進していった。なぜかストリップ劇場にきている人はみなおとなしく静かで、誰も叫び声をあげたり、笑ったりする客はいなかった。アメリカ映画のトップレスバーのシーンなんかとはおお違いだ。なかにはリボンを投げたり、曲のあいだずっと手拍子をしている人もいるけど、それは特定の女の子のファンの常連客のようだった。

それから何人ものダンサーがあらわれては、引っこんでいった。ひとり三曲くらい踊り、裸になると舞台の袖《そで》に消えていくのだ。やせた人、グラマーな人、背の高い人、低い人。踊りのうまい人に、動かずに主に身体を見せているだけの人といろいろな踊り子がいた。

けれどもステージのうえは照明が強すぎて、肌はみなプラスチックみたいにぴかぴかで、フィギュアでも見せられているようだった。ぼくたちはしだいにステージに近い席に移動していったけれど、すぐそばで見ていてもやはり女の人のあそこははっきりと焦点を結ばないのだった。なんだか天然のモザイクがかかって、ややもやしているようなのだ。もしかしたら、あまりみんなでいっしょに観察するものではないのかもしれない。

一時間ほどして踊り子がひとまわりすると、強烈な音響と照明で目と耳がひどく重くなってしまった。ぼくはとなりにいたジュンの肩をつついた。耳元で叫ぶ。

「もういかないか」

疲れた顔がうなずき返してきた。ジュンがまえの席の太った背中をたたいた。ダイのＴシャツには汗の染《し》みが浮いてる。人いきれで場内は冷房がきいていないのだ。

「テツローがもういこうってさ。いいだろ」

ダイは振りむいて、写真を撮る振りをした。

「記念なんだから、あれやっていこう」

ポラロイドサービスのことらしかった。踊り子が自分のもち時間を終了する間際にインスタントフィルムのはいったカメラをもって、ステージにもどってくるのだ。一枚五百円でヌード写真のおみやげができる。ダイはラウンドガールのように客席にむかってカメラを見せてまわっている女の子に手をあげた。

「ハイハイ、こっち」

踊り子はダイから五百円玉を受け取り、おおきなカメラをわたした。まだ二十歳をいくつもすぎていない若い女の子だった。何本かＡＶにもでているらしい。その彼女が白いガーターベルトをした足を開いた。ダイは踊り子の全身を撮ろうと、うしろにそり返ってカメラを引いた。営業スマイルのまま、女の子は片手で顔を隠した。

「お兄さん、顔は撮らないでね」

ダイのあとはジュンが撮った。カメラをぼくにまわそうとしたが、ぼくは首を横に振った。ナオトも別に写真はいらないようだった。だってあんな写真なんか、自分の部屋にはおいておけない。

劇場の外にでたとき、空はすっかり暗くなっていた。新宿のような街では通りがひどく明るくなったように感じると夜がきたなとわかるのだ。ダイは何度もポラロイドを見て、にやついていた。

「かわいかったなあ、芹沢しずくっていう子なんだってさ。おれ、ファンになりそう」

ジュンはちらりと自分の写真を見て、すぐにパーカのポケットにつっこんだ。

「晩めしにするか。なんか、今日はすごく疲れたな」

暗くなってからはあぶない気がして歌舞伎町を避けて、靖国通りにでた。びっしりとつながる赤いテールランプの川は、JRの大ガードにのまれて見えなくなっていた。線路のうえには非現実的なくらい巨大な西口の超高層ビルが、窓から光りをこぼしながら空を刺している。ぼくたちはねぐらの新宿中央公園にむかって疲れた足をひきずっていった。

その夜の食事は十二社《じゅうにそう》通りにあるファミリーレストランですませた。コインロッカーから入浴用セットを取りだし、梅月湯にいった。ストリップ劇場ではみんな固まっていたのに、銭湯で身体を洗うときは微妙に離れたシャワーをつかい、浴槽でも距離をおいているのがなんだかおかしかった。風呂《ふろ》屋からでてコンビニで買いものをして、公園についたときにはもう夜の十一時をまわっていた。

ぼくたちは熊野《くまの》神社のはずれの緑のなかにテントを張った。街灯の光りの届かないところで、どのダンボールハウスからもちょっと離れた場所だった。八角形のダンロップのテントは、隅田川の河川敷で何度も開いたり閉じたりと予行練習を済ませていた。ほんの十分ほどで、その夜の宿泊施設が完成する。各自寝袋をもって、テントに潜りこむ。四人の中央には乾電池式の蛍光灯ランタン。夜の公園は静かだった。テントのなかにはなめらかに金属を削るような自動車の走行音が遠くきこえるだけだった。

ナオトが枕元《まくらもと》のコンビニのポリ袋をさしていった。

「こんなのいるのかな」

ジュンは寝袋のうえに転がり、女優辞典を開いていた。

「うん、小説なんかで読むと、ホームレスの人って縄張り意識が強いだろう。だから夜中に誰か話をしにくるかもしれない。そのときになにか挨拶《あいさつ》代わりのものをもってたほうがいいんだよ」

ポリ袋のなかにはいろいろな具のおにぎりが三十個と麦茶の二リットルペットボトルが二本はいっていた。最初の夜だから、遅くまで起きていて、みんなと話がしたいと思ったけれど、自転車の疲れと大人の世界の緊張は厳しかった。十二時になるまえに、ぼくは誰かになぐりつけられたように眠りに落ちてしまった。きっとあとの三人も同じだっただろう。銭湯の帰り道から、ぼくたちはもう口をきくのもしんどいくらい疲れ切っていたのだ。


翌朝は木の葉が揺れる音で目覚めた。黄緑の天幕はすっかり明るくなっていた。ぼくが寝袋を抜けだすと、ナオトがおはようといった。

「なんだ、誰もこなかったんだな」

手つかずのままのポリ袋を見つけた。のどが渇いていたので、麦茶をのむ。冷たくてうまかった。

「トイレ、いってくる」

ぼくはテントをはいだして、午前六時の公園にでた。三月終わりの空気はかなり冷えこんでいた。ぽつぽつと犬の散歩が目についたけれど、明るいだけで熱のない朝日のなか、公園はとても静かだった。自分がいったいなにをしているのかわからなくなる。ぼくたちは東京の中心で、ひと晩野宿したのだ。なんだかお腹の底からおかしくなってしまった。うちの両親はきっと今ごろ木更津の海浜公園でキャンプを張っていると思っているのだろう。

園内の公衆トイレで用をすませ、冷水機のような水道の水で顔を洗ってテントにもどった。

「おう、手伝えよ」

ダイが眠そうな顔でいった。すでに全員が起きだして、テントの解体を始めている。警察のパトロールや公園の縄張り争いを避けるため、なるべく遅くテントを張り、なるべく早くたたむというのは、ジュンのアイディアだった。

テントをかたづけると噴水のある広場に移動した。日ざしであたたまったベンチに座り、残りのおにぎりをたべた。ダイは起き抜けで四つも平らげたけれど、それでもたくさん余ってしまう。コインロッカーに荷物をあずけにいく途中、ナオトが白いポリ袋をもって青い建設用シートが張られたダンボールハウスに駆けていった。

「あの、すみません」

なかから厳しい顔をした五十代くらいの男が、日に焼けた顔をのぞかせた。

「これ、みんなでたべてください」

男は片手でブルーシートをあげて、なにもいわずにじっとナオトを見あげていた。汚れた軍手をはめた手をあげて、ポリ袋を受けとる。つぎの瞬間シートは閉じて、男もポリ袋もきれいになくなった。ジュンが肩をすくめていった。

「おにぎり、好きじゃないのかもな」


それから午前中の時間をつぶすのが大変だった。早朝に起きると一日がどれほど長いか、嫌になるほどわかった。ずっと自分の部屋のベッドで寝そべっていることも、だらだらとテレビを見ていることもできないのだ。

ぼくたちは喫茶店でゆで玉子つきのモーニングセットをたべ、コマ劇場近くのボウリング場で早朝ボウリングをした。あのスポーツは朝やると、なんだかすごくわびしいものだった。西口の高層ビルを何本もまわり、最上階の展望室めぐりをしたけれど、どこにいっても前日のホテルのラウンジほどには感動しなかった。

昼食は行列のできていた新宿三丁目の回転寿司《ずし》にいった。ダイはひとりで二十枚近くの小皿を重ねていたけれど、残りの三人はせいぜい六、七枚がいいところだった。

新宿旅行の二日目は、いい天気だが、風の強い日だった。生ぬるい春の風で、肌寒いという感じではない。

お腹がいっぱいになったぼくたちは、南口にある高島屋のウッドデッキのベンチに座り、おおきな川のようなJRの線路のむこうにかすんでいるビル群を見ながら、昼寝をした。たっぷりと野外で寝て、目を覚ますと鈍い三月の空にきらきらとそびえている超高層ビルを発見する。新宿は昼寝をするには、うちのそばの佃公園と並んですごくいい場所だった。なんだか東京の昼寝って感じがするのだ。

目を覚ますとぼくたちはデッキのあちこちにばらばらになって、携帯電話でそれぞれの家族に連絡をいれた。ナオト以外の三人の話は、せいぜい三十秒で終わってしまう。だって三日くらい家を離れたって、そんなのたいしたことないからね。

二日目は早めにシェーキーズのピザたべ放題で夕食をすませ、歌舞伎町の裏手のほうへむかった。呼びこみの男たちを無視して、飲食街をゆっくりと流していく。雑居ビルの地下におりる階段のうえに、そのネオンサインが青く光っていた。JUICE。ヒップホップの雑誌でぼくが見当をつけておいたクラブだ。音楽の好きなぼくはどうせ新宿にいくなら、一度でいいからクラブをのぞいてみたかったのだ。

暗い階段をおりていくと受付で入場料を払った。こちらはきのうの劇場の半分くらいの値段だ。店の女の子に手をつかまれて手の甲にスタンプを押された。あとには蛍光ピンクのロゴが残っていた。ぽたぽたとしずくを垂らす英文字が、あちこちにつけられたブラックライトを浴びて、浮きだすように光っている。

フロアにむかったが、まだ時間が早いせいか、誰も踊っている人はいなかった。DJは腕慣らしに誰でも知ってるクラシック・ソウルをつないでいる。さすがにプロ用の機材でぼくが自分の部屋できくCDラジカセより、何十倍も迫力があった。バスドラムやベースの音は足元から身体《からだ》全体を揺さぶるようだ。

ジュンが耳元で叫んだ。

「ドリンク、交換にいこうぜ」

カウンターでミネラルウォーターのペットボトルとチケットを交換した。これから汗をかくのだ、普通の水が一番おいしいだろう。ぼくたちは数人の女の子がゆったりと海草のようにうねるダンスフロアを見おろす丸テーブルに席を取った。オーバーサイズのジーンズやコットンパンツのうえはタイトなTシャツやタンクトップ。足元はこれもふたサイズはおおきなバスケットシューズをはいている。女の子たちの格好はぼくたちと変わらなかった。ビーズを編みこんだ髪が、チョッパーベースの重いリフにあわせて跳ねている。ぼくにはストリップ劇場よりやはりこちらのほうがよかった。

ちびちびとペットボトルに口をつけながら、熱い温泉につかるようにくつろいで、ぼくは身体を揺すっていた。

二十分ほどして、フロアが混み始めた。ダイがぼくのわき腹をつついて叫んだ。

「いこうぜ」

うなずいてスツールをおりた。ジュンとナオトを視線で誘ったが、ふたりは先にいけというように手を振った。ダイとぼくは巨大なスピーカーのまえで踊り始めた。ぼくはダンスなんてうまくはないけれど、それでものすごい音圧にあわせてリズムを取るだけで気もちよかった。人間は皮の袋に水分をつめたものなのだと思った。きっと音楽は身体のなかでよどんだ水を、思い切り揺さぶりかき混ぜてくれるのだろう。ぼくはバカみたいに半分笑いながら踊り続けた。ダイはモダンな盆踊りみたいな調子で、かくかくと角のあるヒップホップダンスで脂肪を揺らせている。

いきなり声をかけられたときには、自分に話しかけられたとは思わなかった。

「ねえ、どっからきたの。どこの高校」

驚いて反応できずにいると、金髪の女の子がもう一度いった。

「どこの高校」

彼女の白いTシャツの胸にはハート型のラインストーンがついていた。短かめのサブリナパンツから日に焼けたくるぶしがのぞいている。春もののレザージャケットはパステルピンクだ。とにかく明るくてよく笑う女の子だった。ぼくが困っているとダイが叫んだ。

「R高校」

それは私立のお坊ちゃん学校の名前だった。ダイやぼくではとても合格しそうにない難関校だ。

「へえ、すごいじゃん。ねえ、紹介するよ」

彼女はうしろで踊っていた女の子をまえに押しだした。こちらは始めの子とは違って、恥ずかしそうにうつむいて笑っていた。デニムのミニスカートに綿のPコートを着ている。ストライプのボタンダウンシャツの胸はおおきく開いていた。

「こっちがユウナで、わたしがサヤ。そっちは」

ダイがおおよろこびで、ぼくの胸をつついた。

「こいつがテツローで、おれがダイ。おれたち旅行中なんだ」

その言葉で急にサヤの表情が変わった。

「へえ、どこに泊まってるの」

ダイがぼくの顔を見た。ぼくは適当に言葉を濁す。だって公園でテント泊まりだとはいえないからね。

「内緒。いっしょにきた仲間があとふたりいるんだけど、その四人で旅行中なんだ」

サヤは金髪のポニーテールを揺らして叫んだ。

「じゃあ、あとで紹介してよ」

ぼくはうなずいてダンスにもどった。ユウナという女の子は困ったように笑ったまま踊り続けている。内気だがちょっとヤンキーがはいったタイプの女の子だった。ぼくはダイの変わりようがおかしかった。ユウナが気にいったようなのだ。それはダイが絶対に彼女のほうを見ないようにしていたのでわかった。

DJの交代を機会にぼくとダイは女の子ふたりを連れて、テーブルに戻った。ジュンはうれしそうににこにこしたが、ナオトは目を丸くして驚いていた。ぼくがナンパでもしたと思っているらしい。ぼくたちはおたがいをもう一度紹介し直した。ダイはジュンとナオトになにか耳打ちしている。きっと高校の件で話をあわせたのだろう。

「わたしたちも旅行みたいなものの最中なんだよね」

サヤの言葉にはどこか無理をしている響きがあったが、ダイはまるで気づいていないようだった。

「おれたちと同じじゃん。こっちは月島に住んでるけど、そっちはどこからきたの」

「代官山」

ふたりはちいさくうなずきあった。ぼくはサヤのTシャツを見た。クラブのなかは暗かったけれど、それでも襟元が薄く黒ずんでいるのがわかった。ジュンがぼくにむかってあごをしゃくった。

「テツロー、ちょっと」

ぼくはスツールを離れてジュンについていった。ジュンは黒塗りの通路の奥にある男子トイレにはいった。扉が閉まるとベースラインだけかろうじてわかるくらい音楽が遠くなった。ジュンは洗面台の鏡のほうをむいている。鏡越しにぼくにいった。

「なんか、あのふたり組、調子よすぎないか」

ぼくも手のあとが無数に残った鏡にうなずいた。

「うん、なんか変だ」

「それにさ、ぼくのとなりに座ったサヤっていう子、へんなにおいがするんだよ」

ぼくはいっしょに踊っていたが、まるで気づかなかった。

「へんて、どういうふうにへんなの」

ジュンはメガネをあげて、髪の形を直した。

「それが香水とゆで玉子の混ざったようなにおいがするんだ。なんかすごく汗くさい感じ」

ぼくは眉《まゆ》をひそめた。それがほんとうならものすごいにおいになりそうだ。

「かわいいからもったいない気もするけど、あのふたりは要注意だな。あまり長いと怪しまれるから、もういこう」

ぼくはジュンといっしょにトイレをでて、工事現場なみにやかましいダンス音楽のなかに戻っていった。

それからの二時間くらいは、けっこうたのしかった。やはりこういう場所では女の子がいるのと、いないのではおお違いだった。ぼくたちは何度もフロアに出動し、踊っていないときは音楽や映画の話をした。ぼくは本を読むのが好きだけれど、こういう場所ではその手の会話はまったく機能しなかった。だって誰も本など読んでいないのだ。読書はきっと時代の趣味からははずれてしまったのだろう。ゲームなんかより楽しいから、ぼくはひとりでも続けるつもりだけれど。

気がついたら三時間があっという間にすぎていた。ぼくの頭のなかには今度ブックオフで見つけたら、買うことにした長いＣＤのリストができていた。まもなく十時だが、クラブではようやくエンジンがかかってくる時間のようだった。ＤＪは古い曲と新しい曲をぴったりのテンポでつなぎながら、フロアをあおっていた。ブラックライトは空中に漂うほこりと踊っている人たちの歯を青く浮きあがらせていた。

何度目かの休憩でテーブルにもどると、ナオトがいった。

「そろそろでようよ。もうお風呂《ふろ》にはいって、寝たいな」

ダイはまだ踊っている女の子ふたりのほうを名残惜しそうに見た。

「せっかくうまくいきそうだったんだけどな。あのユウナさんのほうかわいいじゃん。ちょっと挨拶《あいさつ》してくる」

ぼくたち三人がテーブルを離れて通路を出口にむかうと、ダイはふたりを連れて追いかけてきた。

「待ってくれよ。なにか話があるんだってさ」

小柄なサヤのほうが懸命の笑顔をつくっていた。ひろい襟ぐりの胸にうっすらと汗が光っている。ぼくはそのとき初めてさっきジュンがいっていたおかしなにおいをかいだ。ユウナはどうでもいいという投げやりな様子でそっぽをむいている。

「あのさ、わたしたち家をでて四日目なんだよね。ファミレスやカフェだと寝てると注意されちゃうし、へんな男たちについていけばラブホには泊まれるけど、エッチがめんどくさいし」

うわ目づかいで両手をあわせた。片目だけ開けて、ぼくたちの様子を見ている。

「みんなのところに泊めてくれない。どうせ、中学生なんでしょう。卒業旅行かなにかで近くのホテルにでも帰るんだよね」

困ってしまった。女の子たちから離れて、四人で丸くなって話しあった。ジュンがいった。

「どうする、あのテントにもうふたりも眠れるかな」

ダイは気の毒そうにユウナのほうを見ている。

「でも、今晩泊まるところないんだぜ、あのふたり」

ナオトはダンスビートに負けないように声を張った。

「ふたりとも四日間もお風呂はいってないみたいだ。いっしょに梅月湯にいったほうがいいよ」

最後に発言するやつが、なにか結論をだすというルールが、ぼくたち四人にはあった。今度はぼくの番のようだ。

「それじゃあ、ホテルじゃなく公園でテント泊まりをしている、それでもよければ泊めてあげるといえば」

ダイはおおよろこびでうなずいた。

「そうこなくちゃ。それで決定だな」

ジュンとぼくは女の子たちのところに戻った。ぼくはサヤの耳元でいった。

「ぼくたちも親に嘘《うそ》をついて公園でテント生活してるんだ。ほんとうなら今ごろ房総半島のキャンプ場にいるはずだ。寝心地はあまりよくないし、朝方は寒いかもしれないけど、それでもよかったらきてもいいよ」

サヤはその場で飛びあがった。

「泊めてくれるって、いいよね」

きれいなほうの女の子は無表情のまま、黙ってあごの先を沈めた。

クラブの外にでると、新宿の明るい夜だった。通りは昼間よりもずっとまぶしく見えた。六人になったぼくたちは靖国通りを、銭湯めざして歩いていった。コインロッカーを開けて入浴用のセットを取りだすと、サヤとユウナは驚きの声をあげた。

「えー、すごい。用意がいいねー」

ぼくはなにももたずに家出をしちゃうほうが問題だと思った。ダイがユウナに、ナオトがサヤにあまりのタオルを貸した。ジュンが男女に分かれた下駄箱のまえでいった。

「じゃあ、三十分後にここで集合」

サヤは腕時計を見た。またうわ目づかいになって、甘えた声をだした。年下の中学生になんか甘えてもしょうがないと思うけど。

「お風呂にはいるの四日ぶりなんだ。一時間後でもいい」

ダイはジュンがこたえるまえに自信満々で胸をたたいた。女の子がいるから大胸筋に力をいれていたのだろう。今度はあまり胸の脂肪が揺れなかった。

「もちろん、いいよ。ゆっくりあったまってきてよ。おれたち、そのあいだにテントでもつくっておくからさ」

中央公園のテントに潜りこんだときには、もう夜中の十二時近くだった。一番保温性能が高いナオトの寝袋を毛布代わりにふたりにわたした。残り全員の分もファスナーを開いて布団《ふとん》のように床に敷き、うわがけにつかった。外はかなり冷えこんでいたけれど、銭湯のお風呂は若いぼくたちにはちょっと熱すぎたし、夜にそなえて重ね着もしていたから震えるほどではなかった。ダイなんかはパーカとスエットシャツを脱いで、上半身はTシャツ一枚になっていたくらいだ。そのダイがぽつりといった。

「どうして家出なんかしたの。まあ、親なんてうざいから、気もちはわかるけど」

蛍光灯のカンテラを中心にぼくたちは輪になっていた。どの顔も青い光りを浴びて、幽霊みたいに生気がなかった。サヤはいきなり、かん高い声で笑いだした。

「ははは、いいから、いいから」

「よくないよ」

ずっと黙っていたユウナのほうが初めて口を開いた。ぼんやりとカンテラを見つめている横顔は、傷ついて巣にこもる小動物のようだ。

「うちは父親がいなくて、母親と妹がひとりなんだ。でもさ、親子でも相性ってあるんだよね。うちの妹は母親とうまくやれるんだけど、わたしはぜんぜんだめで。子どものころから、この人がほんとうにわたしの母親なのかなっていつも思ってた」

それからユウナはサヤのほうを見てほほえんだ。化粧を落とすとまだ十代なかばの少女らしい顔をしている。ぼくにはクラブのときよりずっと素敵に見えた。

「ごめんね、サヤ。こんなことに巻きこんじゃって」

小柄な少女は涙ぐんでうなずいた。クラブのなかでは強気な表情を崩さなかったのに、サヤには友達思いのところがあるようだった。ダイは素直だ。おおきな身体《からだ》を丸くして、全身でユウナへの共感を示していた。

「おれんちも似たようなもんだな。父親は今年の頭に死んじまった。理由はきかないでくれ。おれは心の底からほっとしたよ。乱暴者でのんだくれで、最低のおやじだったから。おかげで高校は二部にいくことになると思う。おれより弟のほうが頭いいから、金はそっちにまわしたほうが正解だしな」

ダイからそんなことをきいたのは初めてで、ぼくはびっくりしてしまった。ダイはジュンとナオトとぼくの三人を順番にゆっくりと見た。ジュンはいった。

「どんなうちにもなにか問題はあるもんな」

ぼくにはジュンの家にもぼくの家にも問題があるのかどうかわからなかった。でも、黙りこんだみんなといっしょにうなずいておいた。だって、まだわかっていないだけで、ほんとうにうちの家族にもなにか大問題があるのかもしれない。そういうのはいつだって巧妙に隠されているものだし、もしかすると明日新たに生まれてしまうかもしれないのだ。そんなふうに考えたら、急に父親と母親の顔が浮かんできた。うちの両親は仲がいいから、ぼくがいなければきっと今夜あたりどこかで外食でもしているだろう。

「寝ようか」

ナオトの顔は二日間の疲労でしわがさらに深くなっているようだった。蛍光灯のスイッチを消すと、テントの屋根に木の影が映っていた。

「四人ともほんとにありがと。迷惑かけて、ごめんね」

ユウナが暗闇《くらやみ》のなかでそういった。それが眠りにつくまえに最後にきいた言葉だった。


ぼくが目覚めたのはまだ薄暗い時間だった。闇のなかで誰かの影がこそこそと動いていた。ジュンのウエストバッグをさぐっているようだ。髪の長さでわかった。ふたり組のユウナのほうだ。彼女はバッグから何枚かの紙幣を抜くと、今度はぼくのバッグのファスナーを息をつめてゆっくりと開いた。

ぼくは寝返りをうって、彼女の手首をつかんだ。ひっと声をのんでユウナは身体を硬直させた。テントの外をあごで示す。ぼくが音を立てないように出入り口の垂れ幕を抜けると、彼女が続いてやってきた。テントを離れて、露がおりた夜明けのベンチに座った。

「どうしたの。お金がどうしても必要なの」

ユウナは悪びれていなかった。素直にうなずく。

「そう」

鳥たちが寝床の木からいっせいに飛びあがって、旗のように新宿の空を旋回していた。ぼくの吐く息は白かった。

「どうして」

ユウナは両手でお腹《なか》を抱えるように背を丸めていた。ミニスカートのしたにダイのジャージをはいていたが、まだ寒いのだろうか。手も足も震えていた。

「できちゃったかもしれないから」

ベンチのうしろからダイの声がした。

「ほんとかよ。相手はどんなやつなんだ」

彼女はさらにベンチのうえで背中を丸くする。そのまま胎児のように縮んでいくかと思った。あざけるようにユウナはいう。

「去年のクリスマスのときもプチ家出したんだ。あのときは酔っ払って何人かとしちゃったから、誰が父親かなんてわからない。たとえわかったって、どこに住んでるのかも知らない相手だもん」

ダイはユウナのとなりに座ると、パーカを脱いで彼女の肩にかけてやった。そんなふうにやさしいことをされて、心のなかでなにかが破れてしまったようだった。ユウナは涙を落としていう。

「ごめんね。助けてもらったのに、お金なんか盗《と》って。でも、気になってしょうがなかったんだ。もう三カ月もあれがこないし、調べる薬がドラッグストアに売ってるけど、いくらするかわかんないし、お金もぜんぜん残ってないし。どうしたらいいか、わかんなくなって。ごめんね」

泣きながらぼくに手をだした。薄い手のひらにはジュンの財布から抜いたしわくちゃの千円札が二枚のっていた。ぼくは自分の財布から一枚抜いて、そこにのせてあげた。ダイも同じようにする。

「いいの」

ダイは笑ってうなずいた。空を飛びまわる鳥の鳴き声は、自動車よりもやかましかった。高層ビルの背後の東の地平線で澄んだ朝焼けが始まっていた。

「起きてきたのが、おれでついてなかったな。ナオトだったら、間違いなく一万円札なんだけど」

ユウナは泣き笑いの顔になった。ダイがいった。

「で、これから、どうする」

「サヤさんが起きたら、いっしょにお店にいってもらうといいと思う。どうせだからナオトにも話して、検査薬のカンパにひと口のってもらおう」

ぼくたち三人はそこでしばらく朝焼けを見ている空の色が見ているうちに、どんどんダイナミックに変化して、空一面に朝の光りが広がっていく。それは三人の誰も言葉にだして確かめたりしないほど見事な朝の訪れだった。吸うたびにのどを冷ます朝の冴《さ》えた空気、黒っぽい朱色から透明な黄色へ変わっていく太陽、日ざしを受けて端正に縦のラインを浮き立たせる高層ビル。ストリップ劇場のステージは忘れてしまったけれど、その時の夜明けの感じを今でもぼくははっきりと覚えている。

スタジオアルタの裏手にあるファミレスで、ぼくたちはふたりを待っていた。ジュンには千円を返し、ナオトから千円集めたから、全部で四千円のカンパになった。ぼくは妊娠検査薬がいくらするのか知らなかったけれど、それくらいあれば十分だろうと思った。

サヤとユウナがもどってきたのは、何杯目かの薄いコーヒーを頼んだところだった。ふたりはぼくたちのボックス席のまえで立ちどまり、体温計がはいるくらいのおおきさの白い小箱を見せた。サヤはこんなときでも明るかった。

「ジャーン。みんなが買ってくれたおクスリでーす」

「やめてよ、恥ずかしいな」

ユウナはそういってサヤの手をひいて、女子トイレに消えてしまう。それからの十分間は二日間で一番長い十分だった。ジュンもナオトもぼくも落ち着いていたが、ダイだけがひとりで力んでいるようだった。ティースプーンでこつこつとテーブルの角をたたいていた。ジュンが鋭くいう。

「うるさいから、やめろよ」

ダイはスプーンを放りだすと、今度は激しい貧乏揺すりを始めた。腕は胸で組んで、誰かにけんかを売るように宙をにらんでいた。サヤは静かにもどってくると、ボックスシートの端に滑りこんだ。表情が暗くなにもいわなかった。ダイがどうだったときくと、黙って首を横に振った。

ユウナがテーブルに片手をついて立っていた。顔色だけでなく、ミニスカートの足さえ血の気がうせているようだった。

「笑っちゃう。なんだかとんでもない病気にかかったみたいだよ。陽性だって。帰って、あの人になんていえばいいのかな。結局また同じことをいわれて、ばかにされるんだ。自分を安く売ってはいけません。自業自得《じごうじとく》だって。でも、人を好きになるのって、高いか安いかなのかな。わたしたちって、みんな商品なのかな」

彼女は隠さずに泣いていた。ファミレス中の目が集まっても気にしなかった。泣きながらこぶしをにぎって、なにかに耐えている。ぼくはそんな姿の女の子をみたのは初めてだった。これから誰かと闘いにいくようだ。ダイが狭いボックスシートで立ちあがった。

「あの、おれ、ユウナさんに会って、まだ半日しかたってないけど、その……」

いつだってあきれるほどストレートなダイが言葉に迷っていた。額は汗びっしょりだ。

「……あの、生むとか生まないとか、どちらにしても、おれになにか手助けさせてくれないか。おれは来年の春になったら、中学卒業して働くことになってるから」

いったいなにをいってるのだろうか。ぼくたちはダイのことを口を開けて見ているだけだった。今のは好きだという告白とはちょっと違う気がした。それにダイはこの春に中学三年生になるまだ十四歳なのだ。フロアの視線はつぎはダイに集中した。

「あの、おれ、冬にうちのおやじを死なせちゃったんだ。うちの家族は一時ぼろぼろだった。余計なお世話だけど、家族の形ってなるべく壊さないほうがいいと思う。どうしてもおふくろさんと暮らすのが無理なら、おれが新しい家族をつくる手伝いをしてもいいよ。今、ユウナさんを待っていて、急にそう思ったんだ」

誰かが自分を捨てて心から話す言葉には力があるのだとぼくは理解した。闘いにいくようだったユウナの身体から、力が抜けていくのがわかった。青ざめた顔にも十代の少女の色がもどってくる。

「ありがとう、ダイくん。今日はうちに帰ることにする。あの人と話してみるよ」

ダイはまっ赤な顔で座り、立て続けに三杯の氷水をのんだ。あわててウエストバッグをさぐるとサインペンを取りだした。紙ナプキンに携帯の番号を書いて、黙ってユウナにさしだした。くたびれたようにほほえんで、彼女は湿ったナプキンを受け取った。

「連絡するね」

「すごくいい場面じゃなーい。ダイくん、最高」

サヤが目にハンカチーフをあてて叫んだ。すごく涙もろいみたいだ。ぼくは半分あきれ、半分心を動かされてその場を見ていた。それにしても十四歳で誰か別な男の子どもの父親に立候補するというのは、どんな気分なのだろうか。

ぼくは急に大人びて見えるようになった友達の顔をいつまでも見つめていた。

昼まえにはふたりを見送りに新宿駅にいった。ナオトは代官山なら地下鉄じゃないのと不思議そうにいったけれど、ジュンはナオトの肩をこづいて黙らせた。ふたりが買ったのは、総武線の亀戸《かめいど》駅までの切符で、家は駅からバスで十分ほどかかる場所だという。

ダイは送りにいきたそうだったが、ぼくたちが引きとめた。出会って半日で親にまで挨拶《あいさつ》にいくのは、いくらなんでも早すぎる気がしたのだ。ホームに黄色い電車がはいってくると、サヤがぺこりと頭をさげた。

「あたしたち地元の高校の一年なんだ。みんなとは二こ違いだね。年した上等って感じだよ」

なにが上等なのかぜんぜんわからなかったが、小柄なサヤが見つめる先には同じく小柄なジュンがいた。ジュンは頭がいいから、きっとその言葉の意味もわかっているのだろう。

ユウナが電車の轟音《ごうおん》に負けずにいった。

「みんなには借りができちゃった。ダイくん、ありがとね。どんなに悪いときでも誰かひとりは味方がいるんだってさっきは思った。ほんとに連絡する。相談にのって」

ホームにおりた人たちといれ違いにふたりは電車にのりこんだ。間の抜けた電子チャイムの音がして扉が閉まった。ガラス窓のむこうで親指と小指を伸ばして、ユウナが携帯のポーズを取っていた。サヤは頰にVサインを押しつけて、プリクラを撮るときみたいにうわ目づかいをしている。

電車が走り去ってしまうと、新宿駅には目的地があって働いている人の活気だけが残った。ダイが泣きそうな声でいった。

「あーあ、いっちゃったよ」

ジュンは南口にあがる階段めがけて歩きだした。

「ぼくたちも家に帰る用意をしようか」

旅行をするといつも不思議に思うのだけど、なぜいきはあれほど長くかかる感じがするのに、帰りはあっという間なのだろうか。別に距離は変わらないから、同じように時間はかかっているはずなのに、やはり半分くらいの感覚でしかない。

ぼくたちは銭湯のまえのコインロッカーから荷物をだして、中央公園にもどった。三日間とめておいたマウンテンバイクから盗難防止のチェーンをはずし、キャリアにバッグを固定していく。春らしくはっきりとしない薄曇りの空のした、西口の高層ビル街を自転車で走りだした。

ペダルは軽く、気分も悪くなかった。そうたのしいことばかりではなかったけれど、予定どおり新宿でキャンプして、大人のあぶない世界をすこしだけのぞくこともできた。新宿通りをまっすぐに走り続け、最初に休憩を取った四谷のファミレスで遅い昼食にした。

その日のランチはビーフストロガノフだったけれど、ダイはボリュームがあった前回のイタリアンハンバーグのほうがよかったとこぼしていた。それでも三回もごはんをお代わりしたのだから、ダイの食欲は彼女と離れてもぜんぜんなくならないようだった。

半蔵門の周回路までくると、全員でどこまで足をつかずに坂道をおりていけるか勝負をすることになった。皇居の緑は深く、お濠《ほり》の水はあいかわらず濁って釣堀のようだ。ぼくたちは背中から陸風を受けて、足を開いたまま急な坂道を駆けおりた。

勝ったのはダイだった。日比谷の交差点のほんのすこし手まえまで、見事にダイはペダルを漕《こ》がずにおり切ってしまった。のぼりでは大敵だった重量が、くだり坂では有利に働くのだ。慣性の法則はあなどれない。

銀座に帰ってくると、もう自分の街にもどった気がした。午後の買いもの客でにぎわう晴海通りを抜けて、和光、三越、歌舞伎座をすぎる。誰もが精いっぱいのおしゃれをして、すこしきどって歩いているこの街がぼくは大好きだった。勝どき橋をわたるころには、日ざしはすっかりかたむいて隅田川の下流は金色にうねっていた。

清澄《きよすみ》通りとの交差点までくると、ナオトが急ブレーキをかけて停止した。

「そうだ、この旅行のあいだに誰にもいってない秘密をばらすって約束してたよね」

そんなことはすっかり忘れてしまっていた。なにせエッチ本とかストリップとかクラブとか、大人の遊びでぼくたちはいそがしかったのである。ジュンが腕時計を見ていった。

「このまま帰ると晩めしのはるかまえにうちについちゃうな。どうする」

みんなすぐに別れてしまうのが嫌なようだった。ダイがにやりと笑っていった。

「まっすぐにすすんで晴海ふ頭の公園にいかないか。そこでみんながひとつずつ告白する。晩めしにはぎりぎりに間にあうように帰ればいいだろ」

ジュンがぼくを見た。

「問題なしだ」

そういって晴海通りを直進しながら、ぼくはどんな秘密をいったらいいのか考えていた。

晴海ふ頭公園は、客船ターミナルのとなりにある割とおおきな公園だ。大華火のときくらいしか人が集まらない静かな場所である。埋立地の先端にあって西むきだから、東京湾に沈む夕日をたっぷりと障害物なしに見ることができる東京でも格好のサンセットビューだった。でも、その日はあいにくの薄曇りだったから、空全体が一瞬バラ色に煙ったかと思ったら、いつ沈んだのかわからないうちに空も海も薄暗くなってしまった。こんなときはうえもしたも境目なく同じ色で、沖をいく船でさえやはり冷たいブルーグレイに染まってしまう。

手すりのむこうに潮のにおいがしない東京湾を眺めながら、ぼくたちは芝に座りこんだ。太ももの筋肉がサイクリングのおかげで気もちよく熱をもっていた。ナオトが芝に寝そべっていう。

「秘密かあ、じゃあ、ぼくからいこう。でも、ぼくの場合、秘密はみんなが知っていることだ」

ナオトは横になったまま、ジュンとダイとぼくを順番に見たようだった。誰もナオトを見つめ返さなかったと思う。すくなくともぼくは明るいあきらめを感じさせるその声の主をまともに見ることはできなかった。

「昼のあいだはぜんぜんオーケーなんだ。みんなといっしょだと早老症なんて病気のことは忘れちゃう。でも、夜はつらいことがある。とくにね、糖尿病なんかがでて体調が悪いとき、それも薬をのんで早く寝て、真夜中に目覚めるときなんかが一番つらいかな」

ナオトは暗い空を見あげて淡々と話した。

「みんなにはあの音がきこえないのかなあ。地球が猛烈な勢いで自転して、一日を刻むごーごーという音。ぼくが一番怖いのはあの音だな。だってみんなの三倍の速さで、ぼくの地球はまわってるから。こんな話、うちの親にもいったことないよ」

ジュンがちいさな声できいた。

「今もその音はきこえるのか」

ナオトは笑って空を見あげていた。

「今はきこえない。みんなには地球の自転を遅くするくらい、ものすごい力がある。いつもいっしょに遊んでくれて、すごくうれしいよ」

言葉がとぎれてしばらく時間がたった。風が吹いて、伸び放題の芝の先が揺れていた。ジュンがちょっとキザな調子でいった。

「じゃあ、今度はぼくね」

ジュンは両手をうしろについて、ナオトと同じように空を見あげた。一面の雲に塗りこめられた東京の明るい夜空だ。

「ぼくの秘密は、いつだってひやひやしてるってことかな」

うちのクラス一の秀才で、どんなに困っているときでも、みんなが思いもしなかった場所にさっと補助線を引いて問題を解決してしまうジュンの台詞《せりふ》とは思えなかった。ぼくたちは黙ってつぎの言葉を待った。ジュンはふっと笑っていう。

「確かに勉強は得意だよ。試験にでてもでなくても、なにかを学ぶっていうのはぼくには楽しいことなんだ。でも、ときどきそれがうまくいきすぎることがある。そんなとき、ぼくは自分が詐欺師《さぎし》になった気がするんだ」

ジュンは芝をつかむと引き抜いた。指のあいだに残った葉先を風にむかって投げる。

「このまま、どこかいい高校や大学にいって、一流といわれる会社にはいって、誰からもほめられる人生を送る。そのなかのどこにぼくがあるのかな。まわりの人すべてをだまして生きてるんじゃないのかな。そんなふうに思うとやっぱり眠れなくなる夜がある」

ダイが茶化して口をはさんだ。

「そう思っていても、試験のまえにはちゃんと勉強できるんだろ」

ジュンはナオトにならんで寝そべった。

「そう。誰だって自分が好きで簡単にやれることをするのは楽しいだろう。頭がいいのはきっと遺伝子のせいで、ぼくの趣味は勉強なんだよ。いいよ、どうせ、つまらない一生になるに決まってるんだから」

誰にだって、それぞれの形の悩みがあるようだった。ぼくはふたりの秘密をきいても、まだ自分がなにを話したらいいのか迷っていた。ぼくにほんとうに人に話すほどの秘密や悩みなんてあるのだろうか。だってぼくはほんとうに平均的な十四歳なのだ。

黙っているとダイが先に始めてしまった。

「さっき、おれが急にユウナさんを助けたいっていったとき、みんな驚いていただろ」

ぼくは正直にいった。

「おかしくなったのかと思ったよ。だって中三で、誰かほかの男の子どもの父親になるんだよ」

ダイはぼくの反応がおかしかったらしい。にやっと笑って、ぼくを見た。

「だから、テツローはガキなんだって。おれが怖いのはさ、やっぱり死んだおやじなんだ。おれはおやじが死んでから、アダルトチルドレンの本をたくさん読んだんだ。どの本にも同じことが書いてあった。子どもをなぐる親は、自分が子どものころ、やはり親になぐられていたって。虐待《ぎゃくたい》の連鎖だ。そうなると、おれはいったいこれからどうなるんだ。誰か好きな女と結婚して、子どもができたら、おれもおやじみたいにそいつをなぐるようになるのかな。しまいには、おれがその子に殺されたりするのかな」

ぼくはダイの肩に手をおいて、必死にとめた。ひとりでそんなに遠くまでいってはいけない。でもダイは強かった。丸い頬に鋼のような笑いを浮かべて続ける。

「いいんだ。全部いわせてくれ。専門家がただしければ、おれの子どももおれがやったように、おやじのおれを殺すことになるんだろう。どうやったら、その鎖を切れるか。自分にされた仕打ちを、自分より弱いやつにしなくてもすむくらい、どうしたら強くなれるのか。施設の夜、おれは毎晩考えてたよ。だから、ユウナさんが妊娠してるかもしれないときいたときは、いいチャンスだと思ったんだ。あれこれ考えるまえに飛びこんじゃえ。怖がっているより、やってみればいい。すくなくとも生まれてくる子どもは、うちのおやじやおれの血を引いてないまっさらの赤ん坊なんだ」

ダイはそこで初めて泣いたようだった。

「おれは自分が怖いよ。未来のおれが怖いんだよ。大好きなもの、一番ちいさなもの、おれの子を、この手で壊すかもしれないおれが怖いんだ」

厚い背中が震えていた。誰も返す言葉がでてこないようだった。最悪のタイミングで、最後にぼくの番がまわってきた。ぼくという人間には内容なんてない。ごく平凡で平均的な中学生だと自分でも思う。でも、三人の話をきいたら、自分にもいいたいことがあるのだとわかった。ぼくはダイにいった。

「今の気もちを忘れなければ、ダイが怪物に変わることはないよ。ひどく苦しいし、不安かもしれないけど、ダイならきっとだいじょうぶだ。つらくなったら、ぼくたちがいるし、専門家だっている。だってダイは自分の一番弱いところをみんなのまえで話せただろ。強いって、ほんとうはそういうことじゃないか。ダイは立派だったよ。でも、全部をひとりで背負ったらいけない。ひとりがきつくなったら、人を頼るんだ」

そのときぼくは不思議に澄んだ気もちだった。ぼくには予言者みたいな霊感はないけれど、百パーセントの確信でダイに話すことができたのだ。

「ダイはきっとしあわせになるよ。ダイの子どもだって同じだ。鎖はもうダイが自分で切ったんだよ。あとはそれに自分で気づくだけでいい。きっとおやじさんだってわかってくれている」

芝のうえに寝転んだジュンが口をはさんだ。

「大食いで、体脂肪率が高くて、すごいスケベでも、ダイにはいいとこあるよ。そうじゃなきゃ、ぼくたちがいっしょにいないって」

ダイは涙をふいて、ちくちくする芝生に寝そべった。空にむかっていう。

「あんなことがあったあとでも、変わらずに遊んでくれてありがとう。おまえたち三人には一生頭があがんないかもしれないな」

ナオトがめずらしく冗談をいった。

「そうだよ。だってぼくたちはいっしょに初めて女の人のあそこを見たじゃないか。これは一生消せない汚点だよ」

ダイはおれのポラちゃんといって、パーカのポケットのなかにあるインスタント写真が無事か確かめた。ぼくたちは暗くなっていく空と海のあいだで爆笑した。ジュンがいう。

「最後はおまえだろ、テツロー。早く話して楽になっちまいな」

寝そべる三人の十四歳を見つめた。そこにいたのはみんな、ぼくの大切な仲間たちだ。

「ぼくが怖いのは、変わることだ。みんなが変わってしまって、今日ここにこうして四人でいるときの気もちを、いつか忘れてしまうことなんだ。ぼくたちはみんな年を取り、大人になっていくだろう。世のなかにでて、あれこれねじ曲げられて、こうしていることをバカにするときがくるかもしれない。あれは中学生の遊びだった。なにも知らないガキだった。でも、そんなときこそ、今の気もちを思いだそう。変わっていいことがあれば、変わらないほうがいいことだってある」

ジュンの冷静なあいの手がはいった。

「そりゃまあ、そうだよな」

ぼくは笑ってジュンを見た。ジュンは芝を口にくわえて、両手を頭のうしろで組んでいた。短い前髪を風が揺らしている。

「今から何年かして、自分がだめになりそうになったら、今日のことを思いだすようにしよう。あのときすごくいいやつらが四人いた。自分だって人生の最高のときには、あのメンバーにはいれるくらい絶好調だったって。今の弱さや不安を忘れないようにしよう。そうしたらきっと……」

ぼくはそこでつぎの言葉に困ってしまった。ナオトが不思議そうにいった。

「でも、それだけじゃ、生きていてもあまりいいことはないかもね」

うなずいた。空はもう夜の色になっている。

「確かにいいことはないかもしれない。でも、それができたら、どんな悪いことにもなんとか耐えられる。なんとか生き延びて、悪い時期を我慢できるなら、もうゲームなんて勝ったも同然さ」

ジュンが起きあがり、カーゴパンツについた枯れ芝を払った。ぼそりという。

「なんかテツローのいってること支離滅裂だけど、不思議だな……」

ダイも立ちあがって、首に巻いたタオルで顔の汗と涙をふいた。

「なにがだよ」

「だからさ、でたらめなんだけど、ぼくはそれがただしいことだって、心の深いどこかでわかってるんだ。きっとそうなるだろう。ぼくたちはみんな今のこのときを頼りに生きていくことになるだろう、なんてさ。さあ、そろそろ帰ろうぜ」

ナオトがマウンテンバイクにむかって歩きながらいった。

「やっぱりあのフィギュアうちにもってかえれないな。誰かあずかってくれない」

ジュンとダイがすぐに手をあげた。

「はい、おれ、おれ」

ぼくたちは暗くなった公園を四列に並んで、行進でもするように走りだした。夜の風は驚くほどやわらかく、自転車ですすむぼくたちの背中を押してくれた。誰が最初に黎明橋《れいめいばし》をわたるか、いつものロードレースが始まった。

十五分後には月島の街にあるそれぞれの家に、みんなばらばらに散っていくだろう。ぼくたちはおたがいにさよならといいあうだろう。

つぎの日にまた会うに決まっている友達にさよならをいうのは、いつだってなかなかたのしいものだ。

あとがき

四人の十四歳へ

始まりはとても気楽なものだった。

『4TEEN』を書き始めたのは、九十九年の一月である。まえの年の秋に初めての本『池袋ウエストゲートパーク』をだして四カ月後。ぼくはまだピカピカの新人作家だった。新人賞をもらった「オール讀物」にしか、小説を発表したことはなかったのだ。

文芸編集者は自社からデビューした新人に、よその出版社から仕事の依頼がきて、初めて一本立ちしたプロの作家に育ったと感じるという。ぼくの場合それは池袋シリーズの二作目が小説誌に掲載されたときのことだった。

新潮社の編集者が、コンタクトをとってきてくれたのだ。最初の打ちあわせは、忘れもしない銀座東武ホテルのカフェである。ぼくは新しいオズワルド・ボーティングのスーツを着て、自宅のあった月島からぶらぶらと散歩がてら足を運んだ。その日は長髪をうしろで束ね、ショッキングオレンジのシャツを着ていたのだ。若かった。

打ちあわせでなにを話したのか忘れてしまったけれど、とりあえず「小説新潮」に短篇を書くようにと依頼を受けた。初めてつきあう出版社からの、初依頼である。あれはうれしかった。

4

さて、なにを書いたらいいのだろう。

池袋的なものはやめようと最初に決めた。だいたいサスペンスを考えるのが苦手なのだ。そういえば最近読んだ遺伝子研究の本に、興味深い病気がのっていたなあ。ウェルナー症候群というのは、通常の何倍もの速さで老化が進行してしまう病気である。あれをモチーフにして、なにかひとつストーリーがつくれそうだ。老化が加速される病気なら、青春時代のただなかにいる少年たちと組みあわせると、コントラストがついていいかもしれない。

自分自身の十代のなかで一番たのしかった年はいくつだったろうか。高校時代は本ばかり読んで暗かった。やはり中学生がいいだろう。それも受験勉強が厳しい三年生でも、まだ中学に慣れていない一年生でもない。やはり底抜けにたのしかったのは、中学二年生十四歳のときだ。

ロケーションは面倒だから、今住んでいる月島でいいだろう。どうせ、続篇を書く予定もないし、目のまえの風景を書いてしまおう。この街は暮らしやすくて、とてもいい街である。ぼくの場合、小説を書き始めるときなど、いつだって適当なものです。

こうしてのちに直木賞をもらうことになる連作は、お気楽に動きだしたのだった。

4

一月終わりの一週間で書きあがったのが巻頭作「びっくりプレゼント」だった。さっそく編集部に送ったが、反応はいたって冷たかった。悪くはないけど、しばらく誌面が空きそうもない。ぼくは小説誌というのが、どんなふうに編集されているのか知らなかったので、きっとそれが普通なのだと思った。原稿はあずけっぱなしで、すっかり忘れてしまったのである。まあ、ほかの仕事もいそがしいし、別に掲載されなくてボツでもいいかな。そんなふうに考えていた。のんびりしたものである。

担当者から急に電話がかかってきたのは半年後だった。来月号にのせることが決まりました。というわけで一月に書いた春の話は、夏の号に掲載された。さて、ここからは快調にシリーズが走りだしたと思われるかもしれない。でも、ぜんぜんそういうことはありませんでした。

悪くないといわれた割には、つぎの依頼がまったくこなかったのだ。まだ戦力外のぼくには当然なのだが、小説誌というのはけっこうのんびりしたものです。二本目の原稿を頼まれたときにはそのときからさらに一年半以上もたっていたのだから。

なにを書きたいですかといわれて、ぼくはずいぶん昔に書いた四人の十四歳を思いだした。あの少年たちは、まだたくさんの物語をもっていそうだ。月島の街もつぎつぎと高層マンションが建ち、姿を変えている。長屋と超高層ビル。この街は時代を映す鏡としても有効だ。最初の一本を書いてから二年半近くたって、ようやくシリーズ化を決めたのだった。

4

四人の少年たちのキャラクターは、思いつきでつくったものだ。まずウェルナー症のナオトがいて、でかくて太ったダイと小柄でメガネをかけたジュンがいる。三人には特徴があるから、語り手のテツローはあまり個性の強くない普通の少年にしよう。三分ほどでできた登場人物と足かけ五年もつきあうことになってしまった（その後も依頼は半年に一本くらいしかこなかったのである）。

始めは書割だったキャラクターが、回を追うごとに自由に動きだした。自転車で風を切って月島の街を走りまわり、みんななかなか泣かせる台詞《せりふ》をはくのだ。少年たちが成長するにつれて、わずかずつだがデビュー間もないぼくの筆力もあがっていく。この連作の成功の原因は、ひとえに小説のなかの人物と小説をつくる力、ふたつの成長の加速度がうまく重なったところにあったとぼくは考えている。

お気楽に始まったシリーズは最後まで、スムーズだった。おかしな力みや見栄を張ったところはほとんどない。半年に一本くらい書くというペースは、案外心地いいものだった。なんだか夏休みと冬休みに会う親戚《しんせき》の男の子みたいなのである。ぼくは四人とつきあうのが毎回たのしかったし、書きおろしで最終話を書きあげたときには、これでおしまいなのがとても淋《さび》しかった。

4

少年たちの生きる力、成長する力を信じて、書くことをたのしみながら一冊の本を仕あげる。結果としてその本がおおきな文学賞にノミネートされるというのは、逆に不思議な気分だった。候補は三回目だけど、『4TEEN』ではとないよな。だって、この作品は直木賞が代表する文学の重力から、完全に自由で軽やかな小説なのだ。

それがきてしまうのだから、小説というのはわからないもの。作者としては自分の力だと胸を張りたいところだが、実際にはやはりちょっと違う。お手柄は四人の十四歳の少年たちと、かれらがのりまわす自転車にあったのだ。あのスピード感と明るさと吹き抜ける風。小説のなかに風を吹かせるなんて、ただキーボードをぱちぱちやってる作者にはできないことなのである。

『4TEEN』の物語は、いちおうここで終わっている。でも、いつかまたこの四人から話をきく日がやってくるかもしれない。十六歳か十七歳になったナオト、ダイ、ジュン、テツロー。すこし背が伸びた四人から、恋や夢や学校やその他いろいろあぶない話をききだすのだ。そのとき四人はどんなふうに成長しているのだろう。
ぼくは今からちょっとわくわくしている。

（平成十七年十月）

この作品は平成十五年五月新潮社より刊行された。

重松清著

見張り塔からずっと

3組の夫婦、3つの苦悩の果てに光は射すのか？ 現代という街で、道に迷った私たち。新・山本周五郎賞受賞作家の家族小説集。

重松清著

ナイフ

坪田譲治文学賞受賞

ある日突然、クラスメイト全員が敵になる。私たちは、そんな世界に生を受けた——。五つの家族は、いじめとのたたかいを開始する。

重松清著

日曜日の夕刊

日常のささやかな出来事を通して蘇る、忘れかけていた大切な感情。家族、恋人、友人——、ある町の12の風景を描いた、珠玉の短編集。

重松清著

ビタミンF

直木賞受賞

もう一度、がんばってみるか——。人生の〝中途半端〟な時期に差し掛かった人たちへ贈るエール。心に効くビタミンです。

重松清著

エイジ

山本周五郎賞受賞

14歳、中学生——ぼくは「少年A」とどこまで「同じ」で「違う」んだろう。揺れる思いを抱き成長する少年エイジのリアルな日常。

重松清著

きよしこ

伝わるよ、きっと——。少年はしゃべることが苦手で、悔しかった。大切なことを言えなかったすべての人に捧げる珠玉の少年小説。

西の魔女が死んだ
梨木香歩著

学校に足が向かなくなった少女が、大好きな祖母から受けた魔女の手ほどき。何事も自分で決めるのが、魔女修行の肝心かなめで……。

エンジェル エンジェル エンジェル
梨木香歩著

神様は天使になりきれない人間をゆるしてくださるのだろうか。コウコの嘆きがおばあちゃんの胸奥に眠る切ない記憶を呼び起こす。

家守綺譚
梨木香歩著

百年少し前、亡き友の古い家に住む作家の日常にこぼれ出る豊穣な気配……天地の精や植物と作家をめぐる、不思議に懐かしい29章。

神様のボート
江國香織著

消えたパパを待って、あたしとママはずっと旅がらす…。恋愛の静かな狂気に囚われた母と、その傍らで成長していく娘の遥かな物語。

流しのしたの骨
江國香織著

夜の散歩が習慣の19歳の私と、タイプの違う二人の姉、小さな弟、家族想いの両親。少し奇妙な家族の半年を描く、静かで心地よい物語。

ぼくの小鳥ちゃん
路傍の石文学賞受賞
江國香織著

雪の朝、ぼくの部屋に小鳥ちゃんが舞いこんだ。ぼくの彼女をちょっと意識している小鳥ちゃん。少し切なくて幸福な、冬の日々の物語。

新潮文庫最新刊

今野敏著
自覚 ―隠蔽捜査5.5―
副署長、女性キャリアから、くせ者刑事まで。原理原則を貫く警察官僚・竜崎伸也が、さまざまな困難に直面した七人の警察官を救う！

青山文平著
春山入り
山本周五郎、藤沢周平を継ぎ、正統派にして新しい――。直木賞作家が、生きる場処を摑もうともがき続ける人々を描く本格時代小説。

北原亞以子著
乗合船 慶次郎縁側日記
婿養子急襲の報に元同心慶次郎の心は乱れ、思いは若き日に飛ぶ。執念の絶筆「冥きより」収録の傑作江戸人情シリーズ、堂々の最終巻。

中脇初枝著
みなそこ
親友の羊水に漂っていた命。13年後、その腕にあたしはからめとられた。美しい清流の村の一度きりの夏を描く、禁断の純愛小説。

高杉良著
組織に埋れず
失敗ばかりのダメ社員がヒット連発の〝神様〟に！ 旅行業界を一変させた快男子の痛快な仕事人生。心が晴れればれとする経済小説。

浅葉なつ著
カカノムモノ
悲しい秘密を抱えた美しすぎる大学生・浪崎碧。人の暴走した情念を喰らい、解決する彼の正体は。全く新しい癒やしの物語、誕生。

新潮文庫最新刊

J・ニコルズ
村上春樹訳
卵を産めない郭公
東部の名門カレッジを舞台に描かれる60年代アメリカの永遠の青春小説。村上春樹による瑞々しい新訳！《村上柴田翻訳堂》シリーズ。

N・ウエスト
柴田元幸訳
いなごの日／クール・ミリオン
―ナサニエル・ウエスト傑作選―
ファシズム時代をブラック・ユーモアで駆け抜けたカルト作家の代表的作品を、柴田元幸が新訳！《村上柴田翻訳堂》シリーズ。

ディケンズ
加賀山卓朗訳
オリヴァー・ツイスト
オリヴァー8歳。窃盗団に入りながらも純粋な心を失わず、ロンドンの街を生き抜く孤児の命運を描いた、ディケンズ初期の傑作。

M・グリーニー
田村源二訳
機密奪還（上・下）
合衆国の国家機密が内部告発サイトや反米国家の手に渡るのを阻止せよ！〈ザ・キャンパス〉の工作員ドミニクが孤軍奮闘の大活躍。

J・グリシャム
白石朗訳
汚染訴訟（上・下）
ニューヨークの一流法律事務所を解雇され、アパラチア山脈の田舎町に移り住んだエリート女弁護士が石炭会社の不正に立ち向かう！

中里京子訳
チャップリン自伝
―若き日々―
どん底のロンドンから栄光のハリウッドへ。少年はいかにして喜劇王になっていったか？感動に満ちた前半生の、没後40年記念新訳！

4 T E E N
【フォーティーン】

新潮文庫　い－81－1

平成十七年十二月一日発行
平成二十九年五月二十五日二十五刷

著者　石《いし》田《だ》衣《い》良《ら》

発行者　佐藤隆信

発行所　株式会社新潮社

郵便番号　一六二―八七一一
東京都新宿区矢来町七一
電話　編集部(〇三)三二六六―五四四〇
　　　読者係(〇三)三二六六―五一一一
http://www.shinchosha.co.jp

価格はカバーに表示してあります。

印刷・大日本印刷株式会社　製本・株式会社大進堂

ISBN978-4-10-125051-9 C0193